LA REVOLUCIÓN RUSA

LA REVOLUCIÓN RUSA

Jorge Saborido
Universidad de Buenos Aires

CRÓNICA DEL SIGLO

Dirección editorial
Rebeca Gómez

Director de colección
Jorge Saborido

Editor
José María Fernández

Diseño
Luis Jover

Producción
José María Fernández

© Dastin, S.L.
Parque Empresarial Európolis
c/ M, n.º 9   28232 Las Rozas
Madrid - España
www.dastin.es
info@dastin.es

ISBN 978-84-96410-42-8
Depósito Legal: M-22.412-2006

IMPRESO EN ESPAÑA - PRINTED IN SPAIN

ÍNDICE

PRÓLOGO

Sin duda no necesita mayor justificación dedicar un texto a la Revolución Rusa; su significación para la historia del siglo XX es indiscutible. La sola idea de plantearse una pregunta contrafáctica del tipo ¿qué hubiera ocurrido si los bolcheviques no lograban tomar el poder en octubre de 1917?, da una idea de cómo el rumbo del siglo estuvo afectado por la toma del Palacio de Invierno por parte de Lenin y los suyos. El surgimiento y desarrollo del fascismo, la evolución del capitalismo, la descolonización, por citar sólo tres procesos cruciales, ¿cuán diferentes hubieran sido sin la presencia de la Unión Soviética erigida como alternativa (supuestamente) liberadora para los explotados?

Por tanto, el objetivo de estas palabras previas apunta hacia otras cuestiones: por una parte, a explicar qué puede aportar un nuevo abordaje sobre uno de los temas más tratados por la historiografía; por otra, a discutir el sentido mismo de la Revolución, lo que implica, creo, preguntarse cuándo se cerró el ciclo revolucionario o también si en algún momento el rumbo se modificó «traicionando» sus objetivos y llegando a conformar un régimen que no estaba en la mente de sus protagonistas.

En lo relativo al primer tema, las pretensiones se fundamentan en que la disponibilidad de nuevas fuentes provenientes de los archivos soviéticos han iluminado algunos aspectos del proceso, por lo que una síntesis que recoja esas aportaciones puede ser de utilidad. Refuerza esta argumentación el hecho de que a diferencia de la mayoría de los especialistas en el tema, sobre todo a partir de 1991, han tendido a asumir, implícita o explícitamente, la conocida frase del principal representante de la historiografía conservadora, Richard Pipes: «el comunismo no fue una idea que salió mal sino una mala idea». El autor de esta obra, en cambio, asume como punto de partida la idea, difícilmente refutable, de que las sociedades humanas se han organizado históricamente sobre la base de diversas formas de explotación, por lo que constituye uno de los componentes de la existencia de los seres humanos la búsqueda de la liberación respecto de esa explotación. Por tanto, la posibilidad de que se produzcan acontecimientos revolucionarios no constituye de manera alguna una anomalía, una «enfermedad» social que debe ser curada, sino la expresión de los deseos de hombres que aspiran a cambiar su situación y en algún momento, y por diferentes motivos, consideran que eso es imposible de alcanzar dentro del orden social y de las instituciones en las que desarrollan su vida. Esta reivindicación de la posibilidad de existencia de una revolución social no implica una justificación *a priori* ni la adhesión a explicaciones que defiendan la inevitabilidad de la Revolución de octubre; se trata, simplemente, de afirmar que el desenlace de 1917 era una de las salidas posibles de una coyuntura en la que convergían la crisis económica producida por la guerra, la disconformidad respecto de la conducción de la misma, una profunda intranquilidad social y el peso de una larga serie de graves cuestiones no resueltas por el zarismo. Que esa situación excepcional fuera capitalizada por los bolcheviques es justamente lo que requiere ser explicado, tomando distancia tanto de quienes sostienen que Lenin capturó el poder de manera subrepticia para su exclusivo beneficio como de quienes afirman que su actuación expresaba las expectativas de la clase obrera y simplemente obraba en su nombre, por lo que todos los que se le opusieran eran «traidores» a la causa de los explotados.

En cuanto al planteamiento referido a cuándo finalizó el proceso revolucionario, la elección conlleva definiciones que van desde cuestiones teóricas hasta políticas. Porque en principio cabe hacerse una pregunta clave: ¿cuándo finaliza una revolución? Sin profundizar en una cuestión de tanta relevancia, podemos decir que eso se produce cuando el ímpetu transformador es reemplazado por alguna forma de institucionalización de los logros alcanzados, un «descenso de la fiebre revolucionaria», que incluso para algunos «puros» puede confundirse con la emergencia de una reacción contrarrevolucionaria.

Llevando al extremo algunas argumentaciones, podemos seleccionar por lo menos cuatro «puntos terminales» de la Revolución: 1) la clausura de la Asamblea Constituyente a principios de enero de 1918, que consumó la toma del poder por parte de los bolcheviques; 2) la decisión de Lenin, avalada por el X Congreso del Partido, de poner fin al comunismo de guerra e implantar lo que se denominó Nueva Política Económica (NEP) en marzo de 1921, coincidente con la represión de la revuelta de la guarnición naval de Kronstadt; 3) la muerte de Lenin en enero de 1924; 4) la puesta en marcha por parte de Stalin en 1929 de la colectivización forzosa, primer paso hacia la instauración de un poder absoluto.

Cada uno de los «fines» de la Revolución tiene su explicación. Puede sostenerse, en primer término, que en el momento en que los bolcheviques impidieron las reuniones de la Asamblea Constituyente —en la que eran minoría como consecuencia del resultado de unas elecciones consideradas aceptablemente democráticas— la revolución se transformó en una dictadura que se desplegó a contrapelo de las expectativas de la clase trabajadora, y las diferentes reacciones que se produjeron hasta la sangrienta represión de la rebelión de Kronstadt a principios de 1921 mostraron las profundas divergencias entre quienes aspiraban a una revolución proletaria y quienes se dedicaron, con diferentes justificaciones, a ahogar el impulso de las masas consolidando su poder dictatorial.

Asimismo, se ha afirmado que la adopción de la Nueva Política Económica (NEP), a los efectos de superar la gravísima crisis económica, constituyó una traición a las bases de la Revolución, al producir un retorno a las relaciones de producción capitalistas, ahogando el ímpetu revolucionario que se había desplegado en los años de la guerra civil, y cuya manifestación más dramática fue la citada revuelta de Kronstadt.

La importancia de la muerte de Lenin es indiscutible: para muchos, era la máxima garantía de que en cada coyuntura se iba a adoptar la decisión táctica correcta, superando los obstáculos sin que se perdiera el rumbo de la Revolución. En particular, los acontecimientos previos al último ataque cerebral que lo incapacitó para la acción dan lugar a que muchos sostengan que estaba dispuesto a sostener la continuidad de la Nueva Política Económica y a quitarle poder a Stalin, dos decisiones que hubieran llevado a la Unión Soviética por un derrotero bien diferente del que siguió.

Finalmente, se ha argumentado respecto de que el ascenso de Stalin y la brutal puesta en práctica de la colectivización forzosa fue el «Termidor» de la Revolución, el momento en el que ésta se apartó definitivamente del camino iniciado en octubre de 1917 y empezó a conformarse como una dictadura totalitaria.

La posición adoptada como guía para el texto es la que se ha citado en segundo término, aunque su fundamentación difiere algo de la expuesta. En efecto, en nuestra opinión la durísima represión de la rebelión de Kronstadt y la puesta en marcha de la NEP marcan el fin de la etapa de ascenso del proceso revolucionario. En efecto, por una parte, las alternativas al proyecto bolchevique son duramente reprimidas, se incrementa la disciplina dentro del partido y se sistematiza el control sobre la sociedad. Por otra, se inaugura una fase de consolidación (relativa) en la que se buscan alternativas para intentar resolver los dramáticos problemas económicos generados por la combinación de la guerra civil y el despliegue del denominado «comunismo de guerra». Más allá de la interesantísima discusión que gira alrededor del carácter de la NEP y de su evaluación como una posible alternativa en el rumbo económico del régimen, lo cierto es que se trataba, por lo menos como inicialmente afirmó Lenin, de dar «un paso atrás para luego dar dos hacia adelante».

Estamos efectivamente ante otra fase, en la que los planteamientos revolucionarios —congelados en alguna medida como consecuencia de la guerra civil— fueron abandonados, reemplazados por un control creciente de toda disidencia y por la implantación de una política económica que no estaba en los planteamientos originales. Si calibramos la distancia existente entre los planteamientos provenientes de *El Estado y la Revolución*, obra escrita por Lenin muy poco antes de los hechos de octubre de 1917, y la realidad de principios de 1921, podemos apreciar en qué medida la Revolución había concluido.

La opción realizada no implica en manera alguna la descalificación de las otras; simplemente se considera la más adecuada para dar cuenta del proceso revolucionario en toda su dramática dimensión. Lo que sucedió inmediatamente después de la instauración de la NEP es la convergencia entre la adaptación a una realidad que no estaba en la mente de los protagonistas de la revolución y la posterior lucha por el poder generada por la muerte de su líder indiscutido. En cuanto a la toma del poder por parte de Stalin y las medidas impulsadas por él a partir de 1928, sea que se trate de «un gran salto adelante» o de la traición de los «ideales de Octubre», dan comienzo a una etapa histórica diferente. Aun quienes estén dispuestos a afirmar —para condenar o para defender— que el estalinismo fue la concreción de las posibilidades revolucionarias emergentes del triunfo bolchevique, deben en alguna medida aceptar que la realidad que se inaugura con la consolidación del dirigente georgiano al frente de la Unión Soviética estuvo atravesada por una serie de circunstancias particulares que la convierten en gran medida en una «segunda» revolución o en la instauración de un régimen totalitario, pero no en el capítulo siguiente (o en el desenlace) del proceso que se desencadenó con la toma del Palacio de Invierno por parte de los bolcheviques.

Introducción

LA HERENCIA DE NICOLÁS II

El 20 de octubre de 1894 una nefritis acabó prematuramente con la vida del zar Alejandro III, un gigante de cuarenta y nueve años que con su firme presencia y su comportamiento despótico representaba para el pueblo ruso la imagen misma de la autocracia. Llegó entonces la hora de su hijo, el Gran Duque Nicolás Alexandrovich, que le sucedió con el nombre de Nicolás II. El nuevo zar tenía veintiséis años y la opinión que tenían de él quienes le rodeaban no era en general favorable: su padre opinaba que «no tiene más que juicios pueriles»; Pierre Durnovo, entonces ministro del Interior, a su vez le comentaba a su colega de Finanzas, Serguei Witte, que «yo lo conozco mejor que usted y déjeme decirle que su reinado nos reserva muchas desgracias». La ceremonia de coronación, celebrada a principios de mayo de 1896, empezó dándole la razón, ya que culminó con una incontrolable avalancha del público instalado para el tradicional reparto de regalos, con un saldo de más de 1.200 muertos y de un número varias veces mayor de heridos.

No cabe duda alguna, a la vista de sus limitaciones personales, sobre las que han llamado suficientemente la atención sus biógrafos, que no era el gobernante adecuado para el momento que vivía el Imperio, pero lo cierto es que la complejidad de la situación hacía difícil para cualquiera afrontar las responsabilidades de dirigir los destinos de un país inmerso en una serie de transformaciones de consecuencias imprevisibles.

El Imperio Ruso a finales del siglo XIX

El Imperio Ruso, gobernado desde 1613 por la dinastía de los Romanov, era, hacia finales del siglo XIX, el Estado más extenso del planeta: su superficie superaba los 26,5 millones de kilómetros cuadrados. El control de ese vasto territorio se había concretado a través de sucesivas conquistas

El zar Alejandro III, por Valentín Serov (1900).

*El zar Alejandro III con su familia.
A su espalda se encuentra
Nicolás Alexandrovich, futuro Nicolás II.*

comprendidos entre el fin del siglo XV y las postrimerías del siglo XIX se ha calculado que la expansión se realizó a un promedio de 130 kilómetros cuadrados diarios.

Las ambiciones territoriales rusas condujeron a lo largo del siglo XIX a situaciones de tensión en varias zonas fronterizas, y si bien en la década de 1890 para los observadores avisados de la política internacional su posición en el continente europeo había dejado de ser dominante, la capacidad que tenía de movilizar cientos de miles de hombres para combatir la mantenía en el rango de gran potencia.

El elemento geográfico es de fundamental importancia para contribuir a la explicación de los avatares de la historia rusa; la pobreza de la mayor parte del suelo sólo aseguraba, en el mejor de los casos, una existencia precaria. Esta limitación dejaba a la población agraria un estrecho margen de acción: estaban obligados a operar dentro de un escaso número de opciones. La disponibilidad de tierra fértil se concentraba en una franja de *tierra negra* de aproximadamente cien millones de hectáreas situadas en el sudoeste del Imperio, que constituía el centro principal de la agricultura rusa.

El clima contribuía a empeorar la situación: la casi totalidad del territorio estaba dentro de lo que se denomina clima *Continental*, cuyas características se sintetizan en la expresión «caluroso en verano y muy frío en invierno». Incluso las tierras de Siberia, potencialmente fértiles, quedaban en la mayor parte de su extensión imposibi-

desplegadas por los moscovitas durante los cuatro siglos anteriores, que coincidieron con el surgimiento del moderno estado ruso. Disponía de una favorable situación geográfica para expandirse por tierra y a eso sumaba la debilidad política de sus vecinos, especialmente en las fronteras sur y este. Esta conjunción de factores lo llevaron a ejercer su poder sobre una gran cantidad de pueblos de variada composición étnica. Abarcaba desde Finlandia y el helado océano Ártico en el norte hasta las costas subtropicales del mar Negro y la zona desértica del Turkestán al sur; al oeste limitaba con Alemania y con el Imperio Austro-húngaro, mientras que sus conquistas en el este asiático se habían realizado a expensas del decadente Imperio Chino. En los 400 años litadas de ser cultivadas como consecuencia del impacto de frío producido por la corriente del Golfo a medida que penetraba en el continente euroasiático. Además, la ubicación septentrional de la mayor parte del territorio tenía como consecuencia una corta temporada de cultivo. El régimen pluvial tampoco ayudaba: para resumirlo en una frase, se puede decir que las lluvias eran más abundantes donde la tierra era más pobre.

La conjunción de estos factores, a los que sin duda se deben sumar otros vinculados con aspectos sociales y tecnológicos, sobre lo que se hará referencia más adelante, determinaba que la productividad de la tierra fuera extremadamente baja, con niveles muy inferiores a los de las cosechas obtenidas en Europa occidental. No había, en consecuencia, una base productiva importante como para alimentar una población numerosa.

El primer censo realmente confiable, realizado en 1897, arrojó una población total de 122.666.500 habitantes; la abrumadora mayoría, el 87 por ciento, vivía en el campo, y casi todos eran campesinos. A pesar de la importante migración hacia las ciudades, donde pasaban a formar parte de la clase obrera industrial, y de las posibilidades que brindaba la colonización hacia regiones como Siberia, la población rural crecía tan rápidamente que aquellos que permanecían presionaban constantemente sobre una tierra cultivable siempre escasa.

Muchos de los campesinos censados en 1897 habían nacido siervos, dado que fue en 1861 cuando el zar Alejandro II sancionó la emancipación legal de los mismos, Para cuantificar el problema de la servidumbre se dispone de datos: el censo anterior, realizado en 1858-1859, mostró —más allá de las deficiencias que se le han encontrado— que el Imperio tenía una población de 60 millones de habitantes, de los cuales 12 millones eran hombres libres: nobles, clérigos, habitantes de las ciudades, campesinos propietarios. El resto se dividía en dos categorías: campesinos del Estado, atados a la tierra pero no siervos, y siervos. Estos últimos eran 22,5 millones de personas, el 37,7 por ciento de la población.

La servidumbre se desarrolló en Rusia al compás de la expansión imperial, a la vista de la necesidad de ejercer un poder efectivo sobre la escasa población que vivía en las tierras que se habían conquistado. La imposibilidad de la corona de ejercer un control efectivo sobre los pueblos sojuzgados condujo a una transferencia progresiva de los súbditos hacia la nobleza beneficiaria del reparto de tierras. Es preciso justamente llamar la atención sobre los rasgos que caracterizaban a este sector privilegiado: la fiscalización que ejercía el Estado sobre el mismo a través de la participación en los cargos burocráticos que constituían el Servicio Civil imperial —hasta 1762 cada uno de los nobles debían estar al servicio del zar durante toda su vida— había impedido el surgimiento de una nobleza terrateniente con poder económico independiente en condiciones de contrarrestar el poder de la monarquía. Por tanto, a diferencia de lo que ocurrió en Europa occidental, donde la tenencia condicional de la tierra precedió al

El zar Alejandro II.

absolutismo real, en Rusia la estabilización del zarismo se llevó a cabo controlando la tierra y entregándola a la nobleza con la mano de obra servil atada a la misma, a cambio de la realización de servicios. Sólo en las últimas décadas del siglo XVIII la nobleza accedió a la propiedad de la tierra.

La inseguridad del estamento nobiliario se manifestaba en la ausencia de espíritu corporativo, circunstancia que afianzaba el poder que el zarismo ejercía sobre ellos, ya que cualquier intento «subversivo» podía ser castigado despojándolos de sus tierras. No es extraño entonces que el único movimiento político del siglo XIX protagonizado por gente vinculada a la aristocracia fuera el fracasado «golpe de Estado» realizado por un grupo de mili-

tares en diciembre de 1825. Se justificaba así el juicio del conde Paul Stroganov, funcionario cercano al zar Alejandro I: «Nuestra nobleza consiste en numerosos individuos que han accedido a un título únicamente por la vía del servicio, gente que carece de educación, cuyo única idea es que no hay nada superior al poder del emperador».

El estamento nobiliario no se agotaba en el reducido grupo de la alta aristocracia —algo más de 1.000 nobles que en vísperas de la liberación de los siervos disponían de más de un millar de siervos—, sino que había una nobleza media que constituía la franja intelectualmente más inquieta. Era el público que llenaba los teatros, leía novelas y poesía, y hacia la segunda mitad del siglo tuvieron activa participación en la conformación de la *intelligentsia*, a la que nos referiremos más adelante.

Finalmente, casi el 90 por ciento de la nobleza vivía en una situación económicamente difícil, muchos de ellos incluso carentes de siervos, que compartían en su mayoría la suerte de los campesinos, pero estaban profundamente enraizados en posiciones conservadoras; la monarquía era el objeto de sus demandas de ayuda.

La institución de la servidumbre no fue nunca formalmente codificada pero una legislación sancionada en 1649 proveyó las bases que estuvieron en vigencia durante los dos siglos siguientes.

Los siervos en Rusia estaban atados a la tierra ocupando parcelas individuales en las tierras de sus señores. Una vez satisfechas las obligaciones para con el mismo —rentas en trabajo o en dinero—, estaban en condiciones de disponer de lo que producían. Los siervos no tenían acceso al sistema legal del Imperio; en su reemplazo, el señor actuaba como policía y juez. Respecto de su situación, más allá de que es imposible realizar generalizaciones en una realidad que abarcaba alrededor de 50.000 terratenientes poseedores de siervos, no existe coincidencia en cuanto a sus condiciones de vida. Mientras que los reformadores rusos pintaban la existencia de la mano de obra servil con los tonos más oscuros, se han dado a conocer testimonios de viajeros ingleses que, por ejemplo, afirmaban que «la condición del campesinado en Rusia es muy superior a la de sus iguales irlandeses».

En cuanto a los campesinos dependientes del Estado, si bien debían pagar rentas por la tierra que trabajaban y estaban parcialmente limitados en su movilidad, sujeta a las decisiones de los funcionarios del gobierno, tenían no obstante una existencia más llevadera que los siervos privados: sus parcelas eran en general de mayor tamaño y había mayores posibilidades de trasladarse a las ciudades para trabajar.

El proceso que condujo a la abolición de la servidumbre fue particularmente trabajoso. La elite social y política de la época se había sensibilizado respecto al tema: la situación particular de Rusia —una gran potencia que tras la guerra de Crimea (1854–1856) frente a una alianza anglofrancesa empezó a experimentar las consecuencias de su atraso respecto a las principales potencias occidentales— les llevó a pensar que la servidumbre era una de las causas principales de ese atraso. Se argumentaba, por una parte, que las tensiones sociales emergentes de una situación de opresión tan anacrónica iban a conducir a estallidos que pondrían en serio peligro la estabilidad del Imperio; había antecedentes de revueltas campesinas muy extendidas en el pasado, aunque éstas no se habían manifestado de manera particularmente virulenta en los años anteriores. Además, se pensaba que un ciudadano libre estaba en mejores condiciones de pelear por su nación que un siervo arrastrado por la fuerza al campo de batalla. Y, finalmente, desde un ángulo estrictamente económico, la servidumbre era vista como un obstáculo para el crecimiento; liberado de sus vínculos de dependencia, el campesino tendría incentivos para aumentar la producción.

La ascensión al trono en 1856 de un zar reformador, Alejandro II, dio impulso a la cuestión, la que sin embargo debía enfrentar un problema crucial: cómo proceder frente a la nobleza terrateniente, que se vería privada de sus rentas y/o de sus tierras. La burocracia «ilustrada» que asesoraba al zar llegó finalmente a una salida, que implicaba la asistencia financiera del Estado en el proceso de transferencia de la tierra de los propietarios a los siervos, de manera que los primeros se vieran convenientemente indemnizados por la reforma.

La disposición imperial de febrero de 1861, entonces, además de liberar a los siervos «privados» —los campesinos dependientes del Estado fueron liberados en 1867—, les proveía de tierra a cambio del pago de 49 anualidades, los llamados «pagos de redención», con los cuales se compensaba a los propietarios por las rentas perdidas. A los efectos de asegurar el pago por parte de los campesinos, se responsabilizaba a la comuna[1] de los mismos, no pudiendo sus integrantes abandonar la tierra sin haber saldado antes su deuda con el Estado.

La actitud de los campesinos frente a la reforma implementada desde el poder fue ambivalente: por una parte, se veía aliviado de la detestada autoridad y de la opresión económica y social del señor; por otra, sin embargo, continuaba vinculado a la tierra y separado de diversas formas respecto del resto de la población. Pero además, y esta cuestión era fundamental, formaba parte del ideario campesino la creencia de que ellos, en tanto trabajadores de la tierra, eran los verdaderos propietarios de la misma; por tanto, la situación instaurada desde el poder era sin duda insatisfactoria. Faltaría agregar que el proceso no contemplaba la situación de la gran cantidad de campesinos sin tierras, que continuaron siendo un elemento socialmente perturbador.

Una revisión de los resultados de la emancipación de los siervos realizada desde el ángulo estrictamente económico conduce a conclusiones negativas en lo que se refiere a la situación de los productores, y positivas con matizaciones en los resultados globales del sector agropecuario. Una cantidad importante de campesinos se encontró cultivando parcelas apenas suficientes para sobrevivir mediocremente, al tiempo que la combinación de un crecimiento demográfico acelerado, una presión fiscal creciente y avances tecnológicos extremadamente limitados mantuvo, en tierras de similar fertilidad, los niveles de productividad muy por debajo de los de Europa occidental. No obstante, mientras la población creció el 1,5 por ciento anual entre 1883 y 1914, la producción aumentó el 2,1 por ciento, pasando de 26 millones de toneladas anuales en los años siguientes a la emancipación, a 60 millones de toneladas de promedio anual en los años anteriores a la Primera Guerra Mundial. La disconformidad de los campesinos respecto de la insuficiencia de las reformas incorporaba un elemento social de inestabilidad; las demandas de reparto de tierras de la nobleza adquirieron renovada fuerza en últimos años del siglo XIX.

Un elemento importante a tener en cuenta es la continuidad tras la emancipación de una organización socioeconómica basada en la comuna. Ésta ha sido definida como un grupo humano, con una base territorial, unido por lazos de interacción social e interdependencia, por un sistema de normas y valores establecidos, que poseía un alto grado de autosuficiencia. Estaba compuesta por un conjunto de familias organizadas en unidades domésticas[2], que buscaban primordialmente satisfacer las necesi-

---

[1] Para las características y funcionamiento de la comuna ver más adelante.

[2] La unidad doméstica campesina estaba compuesta por familiares consanguíneos de dos o tres generaciones; sin embargo, la condición básica para convertirse en miembro de la misma no era el vínculo de sangre sino la participación total en la vida de ésta.

dades de consumo de sus integrantes, para lo cual se utilizaba casi con exclusividad la fuerza de trabajo familiar. Una unidad doméstica campesina sólo conservaba en forma hereditaria una pequeña parcela alrededor de la vivienda. La superficie cultivable de la explotación que le correspondía estaba constituida por una cuota proporcional de tierra concedida por la comuna; otra parte de la tierra se reservaba para uso colectivo (pastos y bosques). Aunque se podían comprar tierras de procedencia no comunal, para la mayoría de los campesinos la propiedad privada tenía una importancia secundaria.

A lo largo de la segunda mitad del siglo XIX, la comuna estuvo en el centro de una discusión de la cual participaron intelectuales rusos preocupados por la situación de atraso del Imperio. El tema era, sin duda, el desarrollo económico y los caminos para alcanzarlo: siendo el sector agrario el más importante de la estructura productiva rusa, se trataba de valorar su papel en el proceso de impulsar el crecimiento global. En este escenario, la comuna era el elemento fundamental, y su supervivencia o no la gran cuestión. Para algunas corrientes de pensamiento —liberales y marxistas ortodoxos— la disolución de la comuna era la vía para el despegue capitalista, en tanto contribuiría al desarrollo en el campo, a través de la instauración de una estructura productiva basada en el trabajo asalariado, sensible a las se-

ñales del mercado, y aportaría, con su modernización, un excedente de mano de obra en condiciones de contribuir al desarrollo industrial urbano. Estas posturas partían de la idea de que la comuna, resistente a la idea de la maximización de las ganancias como objetivo de la actividad productiva, era un obstáculo para el crecimiento. Por supuesto, liberales y marxistas no apuntaban al mismo objetivo: lo que para los primeros era una modernización económica capitalista, para los marxistas constituía el paso previo necesario para la creación de las condiciones que permitirían el advenimiento del socialismo. Como contrapartida, también se desarrolló en esos años una corriente de pensamiento «populista»[3], que destacaba la vitalidad y viabilidad de la comuna, y además, en algunas variantes, sostenía la posibilidad de producir el tránsito hacia el socialismo sin atravesar por la fase capitalista, a partir del desarrollo de la industria rural sobre las mismas bases cooperativas a partir de las cuales se desenvolvía la actividad agraria.

Esta polémica, activada por políticos y miembros de la intelectualidad (*intelligentsia*), no había conducido, hacia el año en que Nicolás II inició su reinado, a ninguna política definida, si bien el desarrollo industrial en el que, como veremos, el Estado tenía un papel de importancia estaba produciendo de hecho transformaciones de importancia en el mundo agrario.

---

[3] El populismo fue un movimiento impulsado por la *intelligentsia*, cuyo objetivo era contribuir al cambio social en el campo a través de la propaganda y el ejemplo personal.

La incapacidad de Rusia para forjar una clase media sólida y numerosa es considerada la causa mayor de su desviación respecto del rumbo seguido por los países occidentales y del fracaso de las ideas liberales en contribuir a la transformación de las instituciones políticas. Las razones de esta deficiencia son variadas, empezando por las limitaciones impuestas por un país agrícola, con escasa circulación de dinero. No obstante, el comportamiento del Estado en relación con las actividades vinculadas con el comercio y la industria constituyó el elemento más determinante, dado que, sobre todo durante el siglo XVII, su generalizada práctica de establecer monopolios sobre las mismas contribuyó a debilitar las posibilidades de desarrollo de una burguesía con actividad económica independiente. Los intentos aislados encarados por algunos monarcas, como el caso de Pedro el Grande a principios del siglo XVIII, estuvieron siempre afectados por el hecho de que las actividades industriales y comerciales eran consideradas un servicio al Estado, por lo que los potenciales empresarios se vieron bloqueados en su crecimiento.

A su vez, la prohibición impuesta a mediados del siglo XVIII a los comerciantes de utilizar siervos, y la liberalización de la posibilidad de realizar empresas artesanales y comerciales tanto a la nobleza como al campesinado limitó sus posibilidades de expansión. Mientras la primera comenzó a controlar las principales actividades manufactureras en gran escala, en el campo los siervos desarrollaron una industria textil, alfarera, de carpintería,

sobre la base de un desarrollo tecnológico limitado. Hacia mediados del siglo XIX la gestión de un activo empresario alemán, representante de una firma textil inglesa, introdujo las máquinas de ese origen, dando lugar al surgimiento de la primera industria realmente moderna, la de tejidos de algodón que, paradójicamente, estuvo en buena medida en manos de siervos. Aplastada por arriba y por abajo por otros sectores sociales, no hubo espacio para desarrollar —más allá de unas escasas excepciones— una burguesía dinámica y emprendedora en la línea de lo que ocurría en Occidente.

Por tanto, cuando en las últimas décadas del siglo XIX, como se revisará más adelante, desde el Estado se puso en marcha un proyecto de desarrollo industrial, éste encontró a la clase media mal preparada y poco dispuesta frente a la nueva realidad. Evidentemente, Rusia había perdido la oportunidad de crear una burguesía en el momento en que esto era posible, esto es, en los comienzos del desarrollo capitalista; era ya muy tarde para hacerlo en la época de la segunda revolución industrial, dominada por las corporaciones y los grandes bancos.

En consecuencia, basta pasar revista a las principales ramas de la industria pesada desarrolladas hacia finales del siglo XIX para apreciar el rol decisivo que le cupo al capital extranjero. Las industrias de carbón y acero localizadas en Ucrania fueron instaladas por ingleses y financiadas por una combinación de capital inglés, francés y belga. El petróleo del Cáucaso fue explotado por medio de capitales suecos e ingleses; alemanes y belgas se encargaron de las industrias química y eléctrica. Sólo la industria textil tuvo una presencia significativa. de empresarios nativos, aunque ocupaba la tercera parte del total de la mano de obra.

Los capitalistas rusos —tanto propietarios de la tierra como comerciantes— en su mayoría ignoraban las técnicas empresariales modernas, por lo que no estaban en condiciones de embarcarse en las operaciones que requerían los nuevos tiempos; en cualquier caso, preferían colocar su dinero en la seguridad de las operaciones del Estado imperial, en las que tenían una fe inalterable, antes que arriesgarlo en inversiones industriales. Sólo después que los extranjeros tomaron el riesgo inicial el capital nacional se dirigió hacia la industria pesada.

Por otra parte, el conservadurismo y timidez de las clases adineradas rusas en el terreno económico se correspondían con su comportamiento político: eran monárquicos y nacionalistas pero preferían no exponerse, y esta actitud tuvo consecuencias cuando la situación se tornó crítica.

La autocracia desafiada

Nicolás II era, igual que sus predecesores, un autócrata cuyos poderes eran absolutos, no sometido a limitaciones constitucionales ni institucionales. La palabra del emperador era, literalmente, ley; una orden que emanara de él tenía primacía sobre cualquier disposición legislativa.

Campesinos rusos en 1869.

Mientras que el absolutismo fue, como es sabido, la forma de gobierno prevaleciente en Europa continental hasta el siglo XIX, en Rusia continuó a lo largo de ese siglo, asumiendo incluso sus formas más extremas. Los reyes absolutos occidentales, incluso en la cumbre de su poder, respetaban la propiedad privada de sus súbditos; una violación de los derechos de propiedad era considerada como un signo característico de comportamiento tiránico. En Rusia, por el contrario, como en todos los «despotismos orientales», el zar era el propietario de la tierra y los recursos naturales, monopolizaba el comercio interior y exterior y disponía del servicio civil de todos sus súbditos[4]. Este «Estado patrimonial» representaba el tipo extremo de régimen autocrático.

El gabinete —organizado de forma centralizada desde 1802— carecía de autoridad más allá de la que le otorgaba el monarca, al que respondía cada ministro de manera

---

[4] La nobleza servía al zar en el ejército o en la burocracia, mientras que el resto de los súbditos cultivaba las tierras imperiales o las de sus servidores.

individual, no existiendo manera de coordinar la actividad gubernamental. Asimismo, la corona designaba de manera directa las autoridades provinciales; la amplitud de las distancias y las deficientes comunicaciones determinaban que éstos dispusieran de amplios poderes para explotar los territorios que estaban a su cargo. La burocracia rusa era escasa y corrupta, como consecuencia de una larga tradición de limitados recursos destinados a pagar por sus servicios, y también al hecho de que durante muchos años no existió en Rusia la idea de un Estado abstracto, independiente; los funcionarios actuaban como sirvientes del zar antes que como el personal civil de la nación. Sólo hacia la segunda mitad del siglo XIX, y muy trabajosamente, esta situación se fue modificando, dando lugar al surgimiento de un cuerpo profesional de servidores del Estado.

En las décadas previas a la subida al trono de Nicolás II, el gobierno experimentó todas las contradicciones propias de un régimen que aparecía cada vez más anacrónico frente a las realidades de un mundo que marchaba aceleradamente en todos los terrenos. La constatación de esta situación condujo a dos respuestas diferentes, encarnadas por los dos zares anteriores a Nicolás II.

Alejandro II no sólo fue el responsable de la abolición de la servidumbre sino que durante su gestión se concretaron algunas iniciativas de significación orientadas hacia la modernización del Estado. En 1864 se tomó la importante decisión de crear consejos locales electivos *(zemstvos)* en la mayor parte de las provincias y distritos de la Rusia europea, encargados de cuestiones económicas, sociales, educativas y administrativas. Los mecanismos de elección aseguraban que la nobleza dispusiera de mayorías determinantes, por lo que las posibilidades reformistas de los mismos eran limitadas, pero permitieron el acceso a la vida política de profesionales y en general miembros de las clase medias locales. A pesar de sus obvias limitaciones, constituyeron una fuente autónoma de autoridad, en condiciones de implementar políticas que no necesariamente coincidían con las del gobierno imperial.

A su vez, el sistema judicial también experimentó modificaciones, impulsadas por la desaparición de la servidumbre, que condujo a la necesidad de incorporar al sistema legal a los hombres hasta entonces ligados a sus señores. Así fue que en 1864 se introdujo un régimen para los juicios civiles y criminales copiado de los modelos occidentales, que establecían la existencia de jurados independientes. A lo largo de los años siguientes se desarrolló una carrera judicial que, al igual que los *zemtsvos*, constituyó un cuerpo de oposición al gobierno, hasta el punto que desde el poder se buscaron métodos para limitar su independencia.

El intento reformista de Alejandro II puso en primer plano el accionar de la *intelligentsia*, un componente fundamental de la vida rusa del siglo XIX que impulsaba cambios en la vida social, económica y política del imperio. Compuesta por representantes de diferentes sectores sociales, con presencia significativa de integrantes de la nobleza y de las clases medias urbanas, la *intelligentsia* ha sido definida como una *comunidad ideológica* que se caracterizó por una constante oposición al orden social y político existente en Rusia. Pipes ha definido claramente las razones por las cuales se usa ese término y no el más común de «intelectual»: «el término *intelligentsia* define a intelectuales que aspiran al poder para cambiar el mundo». Sus planteamientos giraban alrededor de temas que iban desde cuestiones muy en la línea del pensamiento romántico de la época, como plantearse preguntas del tipo de ¿qué era Rusia?, o su pertenencia a Oriente u Occidente, hasta las más concretas de las causas del atraso ruso y los caminos para superarlo. Las respuestas eran variadas pero con el marco de un escenario común y una audiencia limitada. En su vertiente extrema, el discurso de algunos sectores de la *intelligentsia* apuntaba a la ruptura violenta con el régimen a partir de un discurso de corte utópico que buscaba la felicidad de los hombres a través de un acontecimiento cataclísmico que conmoviera a la sociedad. El asesinato de Alejandro II en 1881 por parte de integrantes de la agrupación «La Esperanza del Pueblo» expresó de manera dramática esta realidad, y sus consecuencias fueron un hundimiento de las posiciones radicales y un vuelco de la *intelligentsia* hacia posturas menos comprometidas política y socialmente.

Subió entonces al trono Alejandro III en un clima de reacción que el nuevo zar encarnó de manera rotunda. Estrecho de mente, autócrata convencido, la característica del reinado del hijo de Alejandro II fue el intento de revertir o al menos limitar el efecto de las reformas que se habían puesto en marcha.

El control sobre la sociedad civil se hizo estricto, e iba desde la casi total prohibición de las actividades políticas hasta una férrea censura previa; la policía tenía libertad casi absoluta para detener a los súbditos. La afirmación «el Imperio Ruso no era sólo un estado policial, era también un estado extremadamente arbitrario», adquirió un sentido concreto en esos años. La creación de un «departamento de protección de la seguridad y el orden público» (vulgarmente llamado *Okrana*), verdadera policía secreta, simbolizaba el renovado estado de opresión al que se veían sometidos los súbditos. La policía política no estaba obligada a entregar a los detenidos a los jueces; en determinadas circunstancias se podía hasta expulsar del Imperio a ciudadanos sin la intervención judicial.

En otros ámbitos, numerosas disposiciones legislativas apuntaron también hacia la ampliación de las prerrogativas del Estado, dando lugar, por ejemplo, a que los *zemtsvos* quedaran bajo control del gobierno imperial, o a que la independencia de los jueces se viera disminuida.

La política gubernamental de suprimir toda corriente de opinión disidente se combinó con un serio intento de revitalizar la doctrina oficial impulsada durante el reinado de Nicolás I, sintetizada en las expresiones *Ortodoxia-Autocracia-Nacionalidad*. El nuevo elemento, aportado por Konstantin Pobedonostsev, el principal asesor del emperador, era la teoría de la «autocracia del pueblo», la idea de que existía un vínculo estrecho entre el zar y su pueblo, simbolizado por la figura del *mujik*, el campesino ruso, supuesto amante de su emperador. Asimismo, se valoraba la posición de la nobleza, vínculo entre quien detentaba el poder y el conjunto de la sociedad.

La vigorización de la autocracia incluía el reforzamiento de una política de «rusificación», el intento de introducir en todos los súbditos el sentimiento de pertenecer a Rusia, a través de la difusión del idioma, la cultura y las tradiciones moscovitas, y de la conversión a la fe ortodoxa. Para abordar este tema es preciso revisar algunos aspectos del problema.

Desde un comienzo, la expansión imperial implicó el dominio sobre pueblos no rusos, hasta el punto de que el censo de 1897 revela que la mayor parte de la población del Imperio —excluyendo el Gran Ducado de Finlandia— no era rusa[5]. Los eslavos (rusos + ucranianos + polacos + bielorrusos) sumaban el 73,12 por ciento, pero los rusos sólo constituían el 44,32 por ciento. El resto se dividía entre turcos (10,82 por ciento), judíos (4,03), lituanos y letones (2,46), etcétera (Cuadro 1, Pipes, p. 2).

DISTRIBUCIÓN ÉTNICA DE LA POBLACIÓN DEL IMPERIO RUSO
(Censo de 1897)

• Eslavos	
– Rusos	44,32
– Ucranianos	17,81
– Polacos	6,31
– Bielorrusos	4,68
Turcos	10,82
Judíos	4,03
Finlandeses	2,78
• Lituanos y Letones	2,46
Alemanes	1,42
• Pueblos de las montañas del Cáucaso	1,34
Georgianos	1,07
• Armenios	0,93
Iraníes	0,62
• Mongoles	0,38
Otros	1,03

Una de las anomalías del Imperio era el hecho de que a pesar de constituir un mosaico étnico y territorial, era tratado constitucional y administrativamente como una unidad nacional homogénea. Los principios de la autocracia vigentes hasta 1905 no permitían, por lo menos en teoría, el reconocimiento de ámbitos territoriales en los cuales la autoridad del monarca se sustentara sobre bases diferentes respecto de las que regían para el conjunto del Imperio. En la práctica, sin embargo, en variados momentos históricos y por múltiples razones, se concedieron diferentes grados de autonomía

---

[5] Dada la manera de hacerse el censo, la expresión adecuada es afirmar que no consideraban el ruso como su lengua materna, en tanto ése fue el criterio utilizado.

a territorios recién incorporados (Polonia, de 1815 a 1831, y Finlandia, de 1809 a 1899, son dos ejemplos). Sin embargo, tarde o temprano esa situación de privilegio desaparecía, al ser incompatible con la vigencia de la autocracia.

Por su parte, Rusia estaba dividida en provincias (*Gubernie*) administradas por gobernadores; a su vez, varias de las provincias se agrupaban en Provincias Generales, a cuyo frente estaban gobernadores generales, normalmente oficiales militares de alto rango. Éstos tenían poderes extraordinarios para mantener el orden, incluyendo arrestos y expulsiones sin intervención de la justicia. Había diez gobernadores generales: en Polonia, Ucrania, Lituania y Bielorrusia, dos en Asia Central, dos en Siberia, etc.

Existía una legislación especial para ciertos grupos de súbditos no rusos (*inorodtsy*), entre los que estaban los pueblos nómadas y los judíos. Los primeros contaban con derechos al autogobierno por medio de sus organizaciones tribales. Sus relaciones con las autoridades rusas se limitaban al pago de un tributo fijo. A medida que se instalaban en la tierra pasaban a ser súbditos normales del Imperio.

El mayor de los problemas provenía de los nacionalistas polacos, quienes no olvidaban que un siglo antes los rusos habían participado junto a Prusia y Austria de la destrucción del país repartiéndose el territorio. Incorporados contra su voluntad al Imperio Ruso, estaban separados de ellos no sólo por el idioma y la historia sino también por la religión: a diferencia de los ortodoxos rusos, la abrumadora mayoría de los polacos eran católicos, hasta el punto

que nacionalismo y catolicismo era difícil de separar en Polonia. Para los rusos, por supuesto, los polacos eran súbditos poco confiables, que se habían rebelado primero en 1830 y luego en 1863.

Asimismo, la ocupación de Polonia colocó a cuatro millones de judíos bajo la autoridad imperial, la mayor parte de los cuales vivía en un área especialmente acotada de las provincias occidentales. Los judíos, que utilizaban el *yiddish* como idioma, luchaban para preservar su religión y su cultura, ganándose el odio de nacientes grupos antisemitas, particularmente activos en regiones de Ucrania.

Los otros dos pueblos eslavos no rusos que formaban parte del Imperio eran los ucranianos y los bielorrusos. Ambos descendían de la tribus eslavas del este pero habían sido separadas del núcleo principal ruso como consecuencia de las invasiones de los mongoles y de la conquista de los polaco-lituanos durante los siglos XIII y XIV. Por tanto, cuando hacia finales del siglo XVIII los moscovitas conquistaron los territorios ocupados por los otros dos pueblos eslavos, las diferencias emergentes de varios siglos de vida separada determinaron que fuera difícil imaginar la fusión en una sola nación, ya que ucranianos y bielorrusos habían adquirido sus tradiciones culturales particulares, su folclore y sus dialectos propios.

A lo largo del siglo XIX, el desarrollo del nacionalismo ucraniano fue un proceso contradictorio dado que sus impulsores, provenientes de los núcleos urbanos, encontraron siempre un ambiente dominado por el escepticismo respecto de la validez de sus demanda e incluso de la existencia misma de la nacionalidad ucraniana; las ciudades tenían un alto porcentaje de judíos, rusos y polacos. De ahí que si bien hacia 1820 surgió, como en general ocurre con los movimientos nacionalistas, un nacionalismo de carácter cultural orientado hacia la recuperación del folclore y de la lengua, hasta el año 1900 no se creó un partido político específicamente ucraniano, el Partido Revolucionario Ucraniano. De cualquier manera, al poco tiempo comenzaron las escisiones, surgiendo una serie de partidos cuyos seguidores no eran muy numerosos ni contaban con un aparato organizativo desarrollado.

Los campesinos, la abrumadora mayoría de la población, preferían sin duda a quienes hablaban su idioma pero sobre todo a los que defendían sus intereses; en la medida en que los propietarios de las tierras que ocupaban eran rusos y polacos, los políticos nacionalistas debieron adoptar posiciones radicales en el tema agrario para obtener el apoyo campesino.

El movimiento nacionalista en Bielorrusia creció más lentamente, hasta el punto de que a principios del siglo XX se publicó el primer periódico en la lengua nativa; en 1902 un grupo de estudiantes vinculados al Partido Socialista Polaco crearon el Partido Revolucionario Bielorruso (Hromada), más tarde denominado Partido Socialista Bielorruso (Hromada). Su programa era de corte socialista, con el agregado de apartados relativos a la cuestión nacional, planteando demandas que incluían el establecimiento de autonomía cultural para las minorías y de un estado de tipo federal en el Imperio.

La significación de este partido fue escasa y no tuvo Incidencia alguna en la vida política de la Rusia prerrevolucionaria.

La distribución étnica y religiosa de la población no eslava mostraba un panorama de gran complejidad. Había trece millones de musulmanes, la mayoría de los cuales eran turcos y residían en las regiones meridionales del imperio. Otros tres millones pertenecían a los pueblos finlandeses, residiendo la mayoría de ellos en el Gran Ducado de Finlandia. Ésta era la región no rusa del Imperio que contaba con más alto grado de autogobierno, lo que daba lugar a la paradoja de una nación dominada cuyos habitantes disponían de mayores cotas de libertad que quienes los sojuzgaban. Lituanos, letones, alemanes, georgianos, armenios, junto a docenas de pueblos de menor presencia cuantitativa, conformaban un mosaico en el que, obviamente, el componente religioso también tenía importancia.

La idea imperial de crear una suerte de «solidaridad nacional» era perfectamente coherente con las demandas emergentes de las transformaciones que se estaban verificando en el Imperio y constituía un factor de importancia en las relaciones internacionales, pero la manera poco sutil de implementarla produjo el efecto contrario: mientras que las masas se mantuvieron indiferentes, las elites no rusas redescubrieron (o «descubrieron») sus solidaridades étnicas, y empezaron a buscar soluciones a sus problemas en términos nacionales más que dentro de la estructura imperial. Esta situación de tensión se manifestó con fuerza creciente durante los años siguientes.

Sin embargo, no parece erróneo afirmar que, salvo la destacada excepción polaca, no existían tendencias separatistas significativas; el Imperio Ruso era considerado una institución permanente que requería democratización y reforma social, pero no su destrucción.

Una de las claves del funcionamiento del Imperio era justamente la Iglesia ortodoxa; aproximadamente el 55 por ciento de la población profesaba esta religión. Constituía una institución situada en una posición de significativo aislamiento, atravesada además por fuertes disidencias internas. Sobre el papel que le cupo bajo el Imperio zarista es válido el concepto que un historiador conservador como Richard Pipes resumió en el título del capítulo de su obra dedicada al análisis del Antiguo Régimen: «La Iglesia como sirviente del Estado». No sólo no impuso diferencias entre la autoridad espiritual respecto de la temporal, circunstancia que condujo a su absorción por parte del Estado imperial, sino que la defensa de la pureza de la doctrina la llevó naturalmente a recostarse en la autoridad secular. La imagen que brindaba la Iglesia del emperador era la de un padre piadoso cuyo corazón latía al unísono con su pueblo, reforzando la idea de que la obediencia al poder terrenal era obligación de todos los súbditos.

Sin embargo, como se verá cuando se revise la dinámica política durante el reinado de Nicolás II, se percibe con claridad durante estos años la existencia

Serguei Witte.

de serias tensiones dentro de la institución, que impiden atribuirle un papel puramente conservador y reaccionario. En este sentido, se ha afirmado que «muchos miembros del clero, tanto de la jerarquía como párrocos, se volvieron crecientemente desencantados respecto del régimen».

El comienzo de la modernización económica

El reinado de Alejandro III no se redujo a la gestión reaccionaria y conservadora que se desarrolló en el terreno político. La elite que rodeaba al zar tenía claro que la única manera de mejorar la situación internacional era tratar de no entrar en guerras costosas e impulsar la economía sobre la base de la exportación de cereales y la aceleración del proceso de industrialización. Para el primer objetivo se incrementó la presión impositiva de carácter indirecto —sobre productos de consumo como el vodka, el tabaco, el azúcar—, destinada a forzar a los campesinos a la comercialización de las cosechas, al tiempo que el desarrollo de las zonas periféricas —favorecidas por la mejora de las comunicaciones— contribuyó también al aumento de la producción. Sin embargo, estas medidas tropezaron en 1891 con el impacto negativo de una pésima cosecha, que produjo una terrible hambruna, agravada por una epidemia de cólera. Como se verá, las repercusiones de esta desgracia afectaron profundamente a la sociedad rusa.

En cuanto a la expansión industrial, se inició en esos años el vuelco hacia la inversión extranjera; ya sea bajo la forma de títulos de deuda pública como por medio de inversiones directas, los capitales provenientes del exterior comenzaron a tener un papel de importancia en la vida económica rusa.

En relación con la actividad industrial, el impulso hacia la construcción de vías férreas alcanzó dimensiones significativas durante los años 80 y la primera mitad de la década de 1890. Lo más significativo en esos años fue el comienzo del tendido del Ferrocarril Transiberiano, obra cuya realización fue anunciada por el emperador

en 1891[6]; uno de los principales impulsores del proyecto fue el conde Serguei Witte, funcionario proveniente, como muy pocos, del ámbito de los negocios, que fue designado ministro de Finanzas en 1892. Las controversias que generó su figura muestran hasta qué punto persistían entre sectores ligados al poder político ideas profundamente retrógradas, opuestas a la industrialización —caracterizada como un elemento extraño proveniente de Occidente—, y además preocupadas porque la eventual marcha de colonos hacia el Este iba a dejar a la nobleza sin la mano de obra barata de la que dependían sus rentas.

En el capítulo siguiente se analizará con mayor detenimiento la estrategia de desarrollo impulsada por Witte, cuyo mayor impacto se produjo durante el reinado de Nicolás II. Pero, sin embargo, cabe hacer referencia a las primeras reacciones oficiales frente a una realidad determinada por el incremento numérico de la clase obrera, y los problemas que este tema generaba. El número de trabajadores industriales pasó de 600.000 en 1860 a 1.700.000 en 1900 (2.200.000, según las estadísticas soviéticas), aumento que si bien no modificaba demasiado el porcentaje de población dedicado a las actividades del sector secundario (0,76 por ciento en 1860; 1,28 por ciento en 1900), constituía una novedad para

---

[6] La idea de construir un ferrocarril que recorriera el territorio ruso a través de Siberia no era nueva, pero fue Alejandro III el que se entusiasmó con el proyecto, perturbado por la debilidad que mostraba Rusia más allá de los Urales. La oposición a la obra se centró en su alto costo, pero también en el argumento esgrimido por los sectores conservadores de que la colonización de Siberia iba a acabar con la mano de obra barata que constituía una de las bases de su prosperidad. Por otra parte, los sectores más tradicionales de la sociedad protestaban por la penetración hasta el corazón del Imperio de las fuerzas «occidentales» de la industrialización.

quienes estaban alertas ante cualquier cambio que pudiera resultar perturbador para el mantenimiento del orden. El hecho de que buena parte de los trabajadores mantuvieran una vinculación estrecha con la tierra llevó a algunos de los miembros del gobierno a sostener que la cuestión obrera, tal como se presentaba en el mundo occidental, no existía en Rusia. Cuando el Consejo de Estado discutió en 1893 un proyecto de ley de accidentes de trabajo, Pobedonostsev lo descalificó por socialista y por hacer aparecer como proletarios a los laboriosos trabajadores rusos, que aún eran esencialmente cultivadores.

A pesar de estos juicios, en otros ámbitos el problema se veía con más claridad: en un informe realizado en 1884 por la policía de San Petersburgo se llamaba la atención respecto de la existencia de una clase obrera urbana muy diferente en su comportamiento respecto de los campesinos, que podía ser potencialmente receptiva a «todo tipo de falsas doctrinas», y además difundirlas en el ámbito campesino. Cuando al año siguiente una serie de conflictos concluyó en una huelga ilegal de la que participaron 6.000 trabajadores de la fábrica textil Morozov, la «cuestión obrera» adquirió otras dimensiones.

Afectada en su actividad por la dura represión del régimen, la incipiente clase obrera se fue conformando con rasgos similares a lo que ocurría en otros ámbitos nacionales que iniciaban su industrialización. Las demandas, que inicialmente se centraban en cuestiones salariales y en la mejora de las condiciones de trabajo, fueron adquiriendo de manera progresiva elementos políticos, al tiempo que se concretaban los primeros intentos de organización. No eran sin duda mayoría los militantes pero el movimiento obrero estaba en ascenso; manifestación del vigor de los trabajadores fue el festejo del 1 de mayo a partir de 1891, pese a la actitud policial.

El despliegue de estas diferentes realidades muestra con claridad que la situación del Imperio zarista cuando Nicolás II comenzó su reinado se presentaba atravesada por numerosas tensiones, generando inquietud, sin duda, en las clases dominantes tradicionales, pero también en otros sectores de la sociedad. El elocuente comentario de que Rusia estaba «sin terminar» realizado en esos años por Jules Legras, un visitante francés, expresaba sin duda las expectativas de cambio que algunos veían con entusiasmo y otros con aprensión.

Capítulo 1

NICOLÁS II: ¿MODERNIZADOR A SU PESAR?

Nicolás II fue el quinto miembro de la dinastía Romanov que accedió al trono durante el siglo XIX, pero el primero que lo hizo en una situación exenta de crisis y tumultos. Tanto Alejandro I en 1801 como Alejandro III en 1881 sucedieron a padres que habían sido asesinados. Nicolás I subió al trono en 1825 tras la ya comentada rebelión «decembrista»; a su vez, cuando a su muerte le sucedió su hijo Alejandro II en 1855, la situación era de paz en el terreno social, pero estaba afectada por la derrota en la guerra de Crimea, que socavó la legitimidad de los métodos de gobierno de su padre, poniendo en primer plano la necesidad de reformas urgentes.

Por tanto, en este aspecto podría afirmarse que el nuevo zar accedía en una situación favorable. Sin embargo, su ascensión al trono estuvo afectada por los coletazos de la hambruna de 1891, para muchos un punto de inflexión en la última etapa del zarismo. Con acierto se afirma que la Naturaleza produce pérdidas de la cosecha, pero es la acción humana la que las convierte en hambrunas. En este caso, a la endémica pobreza del campo ruso se sumaron las políticas gubernamentales orientadas a impulsar la exportación de granos, que dejaron a los campesinos con muy pocas reservas para enfrentar una coyuntura desfavorable.

La crisis afectó a todos los órdenes de la vida social: creció el descontento entre los campesinos respecto a la actitud del gobierno, pero también reaparecieron los cuestionamientos políticos, que habían sido reprimidos durante la década de los 80.

En ese escenario, Nicolás II se planteó como objetivo la continuidad de la política desplegada por su padre. En todas sus manifestaciones conocidas de esa época existe una voluntad claramente explicitada de ejercer el poder de forma autocrática. Cuando al poco tiempo de asumir su mandato recibió la visita de un grupo de consejeros municipales, integrantes de los *zemstvos*, que humilde y respetuosamente le pidieron una mayor participación en los órganos de gobierno, su respuesta definió su pensamiento: reclamar una modificación de la autocracia constituía un «sueño sin sentido». Toda su gestión estuvo marcada por esta convicción, por lo que los cambios que se produjeron en el régimen como consecuencia de la revolución de 1905 fueron concesiones originadas en la presión ejercida por los acontecimientos y no el resultado de una voluntad de cambio, siquiera sea tímida, del monarca.

Las transformaciones económicas y su impacto social

Para el nuevo zar, continuidad no significaba solamente la preservación del poder autocrático sino también la búsqueda de los mismos objetivos. En este sentido, el tema más importante era la política económica, ejecutada en esos momentos

Estación de Vladivostok. La puesta en marcha del Ferrocarril Transiberiano contribuyó al crecimiento económico.

por el ministro Serguei Witte, que, como hemos visto, ya ejercía esa función durante las postrimerías del reinado de Alejandro III.

Recientemente, un autor ha denominado a la política económica de Witte «primera perestroika» del zarismo, llamando así la atención respecto del carácter reformista de la misma. Su gestión estuvo caracterizada por sustentarse en concepciones muy claras respecto del desarrollo de Rusia: en un sentido amplio podemos afirmar que su objetivo era el de movilizar los vastos recursos ociosos del país creando una base industrial que reforzara su posición en el escenario internacional. Seguidor de las ideas del economista alemán Friedrich List, compartía la idea de éste respecto de que el desarrollo económico era una precondición necesaria para disponer de poder político. En su visión, transmitida al zar en un *memorándum* secreto, sostenía que «las relaciones económicas de Rusia con Europa occidental son perfectamente comparables con las de las colonias respecto a sus metrópolis (...), proveyendo baratos los productos de su suelo y comprando caros los productos industriales de los estados desarrollados».

Sin embargo, había una diferencia esencial, y ésta residía en el hecho de que Rusia era una gran potencia; por tanto, la conclusión era que para mantener e incrementar esa posición era fundamental el desarrollo industrial. En pos de ese objetivo, su estrategia de política económica apuntaba hacia el proteccionismo —ya implantado en 1891— y la apertura al capital extranjero, otorgándole al Estado un papel de importancia en la movilización de recursos y en la remoción de obstáculos institucionales que pudieran bloquear el desarrollo.

En la aplicación de sus ideas, Witte fue responsable de tres logros de significación: la estabilización del rublo, la moneda rusa; el ya citado impulso a la construcción del Ferrocarril Transiberiano, y la penetración comercial en el extremo oriental del Imperio. Los tres estaban estrechamente vinculados, dado que la inserción del rublo en el sistema de patrón-oro facilitó el ingreso del capital extranjero para impulsar la construcción de la extensa línea ferroviaria, que a su vez permitió la colonización de Siberia y la conexión con la Rusia asiática; en particular, la alianza franco-rusa establecida en 1894 favoreció la preponderante presencia de los capitales de ese origen.

El ritmo de construcción ferroviaria fue elevadísimo en el último lustro del siglo: 2.820 km (frente a 2.838 kilómetros de los quince años anteriores), ascendiendo del quinto al segundo lugar en el ranking de los países con más kilómetros de vías férreas, y cons-

tituyendo un factor decisivo en el crecimiento industrial: más del 50 por ciento de la producción de hierro, acero y maquinaria de las principales empresas rusas se destinaron al tendido de vías férreas.

La inversión extranjera fue fundamental en todo el proceso de modernización industrial: entre 1893 y 1899 los capitales externos orientados hacia el sector secundario constituyeron el 55 por ciento del total, y en los tres primeros años del siglo XX todavía ascendían al 47 por ciento. Esas inversiones se orientaron mayoritaria aunque no exclusivamente hacia las actividades extractivas, incluyendo la extracción de petróleo de la región de Bakú. La aportación francesa fue aproximadamente la tercera parte del total, frente al 23 por ciento de Gran Bretaña y el 20 por ciento de Alemania. La industria textil y la metalmecánica se constituyeron en las más importantes tanto en lo que se refiere a la producción como al número de obreros ocupados.

El gran problema de la industrialización rusa (y en general de la economía) era la situación del campo: desde los años del reinado de Alejandro III, como se ha comentado, los campesinos estaban siendo sometidos a una fuerte presión impositiva destinada a facilitar la obtención de excedentes exportables que equilibraran las cuentas exteriores. Esta política se consolidó a lo largo de la década de 1890, hasta el punto que no es exagerado decir que sobre los hombros del campesinado recayó el esfuerzo principal del intento industrializador de Witte. Los opositores al ministro, que eran muchos e influyentes, llamaban la atención sobre la miserable condición del *mujik* como parte de su estrategia en contra de quien estaba realizando cambios muy profundos y poco tranquilizadores. La visión de Witte, por su parte, era que la industria en crecimiento iba a ir resolviendo los problemas agrarios por medio de su demanda de trabajadores y de productos del campo. No obstante, la difícil realidad del sector condujo a que se replanteara el tema de su modernización, centrado nuevamente en la discusión respecto de la disolución o no de la comuna; la falta de definición del zar a este respecto determinó que la situación quedara sin modificaciones. A principios del siglo XX, como se verá más adelante, los levantamientos campesinos verificados en varias regiones del Imperio —tras varios años de calma— introdujeron otra dinámica social y afectaron la evolución del régimen.

Además de la persistencia del problema agrario, otra de las cuestiones importantes en relación con el proceso de industrialización es que la vinculación con el mundo exterior colocó a Rusia en una situación de dependencia respecto de las fluctuaciones características del capitalismo occidental. Esa inestabilidad, nunca deseable, afectó seriamente a Rusia a principios del siglo XX, potenciando la oposición a la gestión.

Los resultados de la gestión de Witte, apartado finalmente de su cargo ministerial en 1903, son espectaculares en términos cuantitativos: a lo largo de la década de 1890 la tasa de crecimiento anual de la industria fue del 7-8 por ciento; el porcentaje de la producción mundial. Sin embargo, el crecimiento global de la economía y también el crecimiento por habitante eran mucho más modestos, con lo cual las distancias de Rusia respecto de los países más ricos no se acortaron. Las estadísticas más utilizadas indican que entre 1870 y 1913 el PIB de Rusia creció a una tasa promedio anual de casi el 2,5 por ciento, mientras que el PIB por habitante lo hizo a menos del 1,2 por ciento. Si tenemos en cuenta que en ese mismo período el crecimiento respectivo de Estados Unidos fue de 3,94 y 1,8 por ciento, el de Alemania 2,83 y 1,6 por ciento, y aun un país atrasado en ese momento como Italia sólo alcanzó un 1,93 por ciento de crecimiento del PIB, pero el PBI por habitante aumentó el 1,3 por ciento anual, percibimos hasta qué punto Rusia avanzaba lentamente, y en términos relativos se retrasaba.

Las consecuencias sociales del proceso de industrialización fueron profundas. En primer término, se produjo un importante desarrollo urbano: entre 1860 y 1914 la tasa de crecimiento de la población de las ciudades más que duplicó el aumento de la población total, aunque debido a los bajos niveles de partida no se produjo una modificación drástica de la supremacía cuantitativa de la población agraria. En 1860 las ciudades albergaban menos de seis millones de personas, mientras que en 1914 superaban los 18 millones; la entonces capital, San Petersburgo, multiplicó por cuatro su población, alcanzando los 2,1 millones de habitantes en esa fecha. La otra gran ciudad, Moscú, albergaba 1,75 millones, y además había otras once ciudades que tenían más de 100.000 habitantes.

Este rápido crecimiento urbano se verificó manteniendo los inmigrantes provenientes del campo estrechos vínculos con el mundo rural: quienes conseguían ocupación y se instalaban en las ciudades dedicaban sus esfuerzos a buscar trabajo y alojamiento para sus compañeros de aldea; de esta manera se trataba de aliviar los costos de un traslado difícil. Además, muchos de los campesinos recién llegados al trabajo industrial urbano enviaban parte de sus ahorros a su familia instalada en la aldea, e incluso algunos seguían retornando a su tierra para trabajar en el verano. Esta particularidad de sectores significativos de la clase obrera no favorecía su integración a la vida urbana ni tampoco a la toma de conciencia de su situación de trabajadores, aunque las fuentes de la época hacen referencia al odio que les generaba la fábrica. No obstante, la organización de los obreros se fue consolidando a pesar del ambiente hostil que emergía del carácter represivo del régimen. Las demandas de mejoras salariales y de las condiciones de vida en su conjunto activaron la protesta proletaria, concretada en huelgas y manifestaciones que desafiaban a las autoridades.

Las referencias a la situación material de los trabajadores durante el último período del zarismo son variadas, en razón de la heterogeneidad de empresas existentes.

La industria textil —algodón, seda, lana y lino— en los comienzos del siglo XX ocupaba más de medio millón de personas, y era la más importante en este aspecto. Establecimientos dedicados a estas actividades podían encontrarse en todos el país, pero el grueso de la producción provenía de la zona industrial de la Rusia europea. Por su parte, la industria metalmecánica ocupaba alrededor de 415.000 trabajadores y las principales empresas estaban localizadas en San Petersburgo y sus alrededores y, en menor medida, en la provincia de Moscú. Tanto una como otra actividad se caracterizaban por la alta concentración de trabajadores; existía un número importante de empresas que ocupaban más de 1.000 obreros. Sin embargo, allí terminaban las similitudes: mientras que en las fábricas textiles predominaban los trabajadores sin calificación —o con una limitada especialización— y ocupaban una cantidad importante de mujeres y niños, las empresas metalúrgicas empleaban un porcentaje importante de mano de obra masculina cualificada.

Una de las reacciones del gobierno frente a la nueva realidad marcada por la industrialización fue la implementación en las postrimerías del reinado de Alejandro III de una legislación destinada a limitar los abusos de los empresarios. Partiendo de una visión paternalista de las relaciones sociales, se establecieron una serie de controles cuyo objetivo era asegurar condiciones de vida para los trabajadores que impidieran la aparición en el Imperio de revueltas sociales como las que se habían producido en Europa occidental en los comienzos de la industrialización. Consecuentemente, se establecieron reglas para el empleo de mujeres y niños, se controló el pago correcto y en tiempo de los salarios, e inspectores de fabrica desarrollaron una amplia actividad de fiscalización sobre las prácticas laborales.

El ministro Witte y su equipo no eran en absoluto partidarios de esta estrategia para afrontar las consecuencias sociales de las transformaciones económicas, pero el surgimiento de las primeras protestas en San Petersburgo les persuadieron respecto de que era necesario operar en el seno de la clase trabajadora para prevenir su radicalización. De esa idea surgió la estrategia de organizar sindicatos y otras instituciones oficiales destinadas a lograr el apoyo de los obreros apartándolos de las ideas socialistas.

El impulsor de la creación de sindicatos adictos al gobierno provino del jefe de la Policía Secreta de Moscú, Sergei Zubatov, el cual estaba convencido de que con una preparación adecuada podía hacer de los trabajadores leales súbditos de la corona. Lo que había que hacer, en su opinión, era actuar sobre ellos desde el poder antes que la indiferencia y el egoísmo de los empresarios los lanzara en brazos de los socialistas. Para ello no sólo era imprescindible la creación de sindicatos sino también instituciones educacionales y de autoayuda, manejadas por trabajadores pero supervisadas por la policía; además, la clave residía en que los sindicatos tuvieran una actuación efectiva.

Las ideas de Zubatov, aderezadas por un marcado antisemitismo —reforzaba sus argumentos afirmando que los principales líderes obreros eran judíos—, contaron con un apoyo oficial importante, aunque en manera alguna unánime. En su punto más alto, Zubatov pudo ganarse la simpatía de sus valedores juntando 50.000 personas para celebrar en 1901 el 40 aniversario de la abolición de la servidumbre, pero al año siguiente un intento de huelga general que pareció involucrarlo condujo directamente a su destitución. No obstante, la idea de crear una clase obrera leal, si bien desprestigiada, no desapareció; sus consecuencias llegaron hasta el padre Gapon y el «Domingo Sangriento».

A pesar de los esfuerzos que estamos reseñando, no pudo impedirse la penetración de las ideas marxistas entre la clase obrera durante la década de 1890. Una de las cuestiones que ocupan la historia de la última etapa del zarismo es discutir por qué razones el marxismo —una ideología propia del capitalismo industrial— pudo aclimatarse en un ámbito dominado por la actividad agraria. La respuesta es doble: por una parte, los cambios producidos en la sociedad rusa estaban justamente potenciando el desarrollo de una clase obrera (y de una burguesía capitalista); por otra, los análisis marxistas aportaban la certeza científica de que la revolución era inevitable, e iba a conducir al surgimiento de una sociedad sin explotadores ni explotados. Como bien se ha dicho, «el marxismo ofrecía a los rusos una hoja de ruta para el futuro, pero no una flecha visible que dijera "ustedes están aquí"».

El primer grupo autodenominado marxista se fundó en el exilio suizo en 1883 y estaba compuesto por cuatro personas, todos ex populistas: Paul Axelrod, Leo Deutsch, Vera Zasulich y George Plejanov. Su nombre era *Grupo para la Emancipación del Trabajo*. Las ideas de Marx, sin embargo, ya eran conocidas con anterioridad, y a medida que se producía el despegue industrial, grupos de intelectuales y trabajadores asumían como válida su tesis de que la sociedad debía atravesar por una fase de desarrollo «democrático burgués», antes de que el proletariado revolucionario estuviera en condiciones de tomar el poder. Esta postura chocaba con la idea populista, que reivindicaba el potencial revolucionario del campesinado, por lo que las primeras obras de los marxistas se centraron en descalificar estas argumentaciones. Sin embargo, había dificultades para aplicar la teoría de Marx al caso ruso: el Imperio era un estado autocrático carente de libertad política, en el que no existía una burguesía sólida y el proletariado era cuantitativamente poco importante. Las posturas de los marxistas rusos apuntaban a destacar el hecho de que las transformaciones que se estaban verificando en el Imperio se orientaban hacia el desarrollo del capitalismo, destruyendo las estructuras socioeconómicas tradicionales.

La expansión económica y el desarrollo de la industria condujo tanto al crecimiento de la clase obrera como al surgimiento de las primeras organizaciones sindicales; se creó entonces un escenario en el que las ideas marxistas tuvieron oportunidad de difundirse. Finalmente, en marzo de 1898 se realizó el primer intento de organizar un partido político revolucionario; en un congreso realizado en Minsk se fundó el Partido Obrero Socialdemócrata Ruso. El intento se frustró rápidamente al ser encarcelados los asistentes, pero quedaron sentadas las bases para una organización más sólida.

Fue entonces en 1903 cuando se realizó el Segundo Congreso, que se transformó en el acto fundacional del socialismo marxista, aunque ya en ese momento se manifestaron las diferencias dentro del partido, conformándose dos fracciones: los bolcheviques (mayoría) y los mencheviques (minoría). El origen del enfrentamiento se vincula con algunos de los problemas por los que atravesaba el socialismo ruso en el tránsito entre el siglo XIX y el XX, y puso en primer plano la figura de un joven dirigente con una ya larga historia de militancia, se trataba de Vladimir Illich Ulianov, más conocido por uno de los numerosos seudónimos que usó en la clandestinidad, Lenin.

Nacido en 1870, la vida del futuro líder de la revolución bolchevique estuvo fuertemente marcada por el hecho de que cuando tenía diecisiete años su hermano mayor, Alejandro, fue condenado a muerte por la complicidad en un intento de asesinato del zar Alejandro III. El profundo impacto que le produjo el acontecimiento

Lenin.

37

contribuyó a marcar su destino como militante. A la altura de 1903 ya era un dirigente de relevancia, que había pasado por el destierro en Siberia —método que utilizaba el zarismo con frecuencia para moderar la combatividad de sus opositores más radicales—; había vivido también la experiencia del exilio, y se caracterizaba por su espíritu polémico.

Los marxistas rusos estuvieron involucrados en dos polémicas: una de ellas era la ya citada, que los oponía a los populistas, afirmando la realidad de la implantación del capitalismo en el Imperio; sobre este tema, Lenin había publicado en 1898 su primera obra de envergadura, que se denominaba justamente *El desarrollo del capitalismo en Rusia*. El otro debate estaba centrado en la importancia que algunos dirigentes otorgaban a la lucha por las reivindicaciones económicas, lo que era respondido afirmando que de esta manera la clase obrera desarrollaría una conciencia exclusivamente «sindicalista». La participación de Lenin en esta polémica fue significativa: en 1902 publicó un texto denominado *Qué hacer*, en el que sostenía que los trabajadores, sometidos a la explotación capitalista, no podían desarrollar espontáneamente una conciencia revolucionaria, por lo que necesitaban un grupo de militantes formados, un partido de «nuevo tipo» que constituyera la «vanguardia» del proletariado, orientando su actividad y tomando las decisiones tácticas y estratégicas. La defensa de esta postura en el congreso por parte de Lenin fue el origen de las diferencias, ya que frente a él se

alzaron quienes defendían la idea de un partido socialista democrático, basado en un reclutamiento amplio. Cuando estas posiciones fueron sujetas a votación, la postura de Lenin perdió, pero un resultado favorable sobre el tema de la organización del partido —alcanzada gracias a una importante abstención— le llevó a reclamar (y obtener) la denominación de «bolcheviques» («mayoría») para sus seguidores, en contraposición a quienes pasaron a ser llamados («minoría»).

Desde ese momento, el Partido Obrero Socialdemócrata Ruso desarrolló su actividad obstaculizado por esta división, que se manifestó en diferentes ocasiones hasta que a principios de 1912 se concretó finalmente la ruptura, conformándose dos partidos distintos, diferenciados en sus siglas por el agregado de la expresión «bolchevique» o «menchevique». La dimensión de los enfrentamientos, en muchos casos incomprensibles para los militantes de base, contribuyó en no poca medida a la escasa penetración del partido entre la clase obrera industrial.

En el clima de principios de siglo, no se trató del único intento de organizar un partido de izquierda: en 1901-1902 se constituyó el Partido Socialista Revolucionario unificando las posturas de varias agrupaciones de ideas similares. Se trataba de una agrupación de corte «neopopulista» cuyo programa se centró en reivindicar las posiciones de los campesinos: revolución social, reparto de la tierra y reivindicación de la «comuna» campesina. Su línea más radical retomaba las ideas favorables al terror como arma política, y sus «escuadras de combate» asesinaron a varios altos funcionarios, incluyendo al ministro del Interior V. K. Plehve, uno de los más duros defensores del zarismo, que murió víctima de un atentado en julio de 1904.

Las ideas de los socialistas revolucionarios sintonizaban con las expectativas de los campesinos, por lo que no es de extrañar que contaran con mucho mayor apoyo entre ellos que bolcheviques y mencheviques, cuyo discurso estaba dirigido a la clase trabajadora. Pero, por otra parte, el principal impulsor del socialismo revolucionario, Victor Chernov, amplió las ideas originales de los populistas afirmando que había una triple base social para la revolución en Rusia: la *intelligentsia*, el proletariado urbano como la vanguardia de masas y los campesinos como el arma principal; el papel fundamental que otorgaba a éstos se basaba en el argumento de que la clase trabajadora era cuantitativamente poco importante como para llevar adelante el proceso revolucionario sin ayuda. De cualquier manera, el hecho de plantear el problema de esta forma constituía un salto importante para los populistas, que podían entonces desplegar su acción de propaganda en los ámbitos fabriles urbanos.

No sólo los grupos de izquierda buscaban organizarse para la acción política: las ideas liberales también buscaban aclimatarse en este escenario que se estaba modificando.

Los orígenes del movimiento liberal se remontan a la década de 1890, en el clima generado por la crisis agraria de 1891-1892. El espectáculo de la pobreza rural y la incapacidad demostrada por el Estado para resolver el tema del hambre, llevó a muchos intelectuales y profesionales a ir más allá de los esfuerzos por resolver los problemas de los más necesitados para empezar a actuar sobre las causas que producían el hambre. El ámbito natural de actuación fueron los *zemstvos*, que tenían responsabilidad en cuestiones económicas de la vida local, así como también las asociaciones científicas, que adquirieron progresivamente un carácter político.

Sin embargo, la mayor fuente de inquietud para el gobierno provino de las universidades: pese a ser un grupo reducido, a partir de 1899, los estudiantes comenzaron a manifestarse reivindicando sus derechos, dando lugar a enfrentamientos callejeros con la policía, que se prolongaron durante los años siguientes. Como bien se ha afirmado, «el gobierno prefirió tratar a las manifestaciones inofensivas de espíritus juveniles como si se tratara de actos sediciosos». Como respuesta, intelectuales radicales transformaron a las manifestaciones contra el maltrato de la policía en un rechazo radical al «régimen».

En el tránsito entre un siglo y otro, se comenzó a plantear la posibilidad de constituir organizaciones políticas para actuar en la clandestinidad. En 1901 comenzó a publicarse en Stuttgart un diario liberal, *Liberación*, y al año siguiente un conjunto de representantes de los *zemstvos* y de la *intelligentsia* reunidos en Suiza constituyeron la *Unión para la Liberación*, con el objetivo de abolir la autocracia y establecer una monarquía constitucional con un Parlamento elegido por sufragio universal, directo, igualitario y secreto.

A consecuencia de las derrotas experimentadas por Rusia en la guerra con Japón en la segunda mitad de 1904[7], circunstancia que contribuyó a deteriorar aún más la situación del régimen, la *Unión* comenzó a actuar de manera abierta dentro del territorio ruso, distribuyendo su periódico y organizando «banquetes para la liberación», en los que se pronunciaban discursos críticos y se recolectaba dinero para la causa.

A pesar de que la *Unión para la Liberación* era un movimiento liberal y se manifestaba opuesto a la acción violenta como medio para el cambio de régimen, las circunstancias determinaron que se acercara a los partidos socialistas revolucionarios: la existencia de objetivos comunes, comenzando por el fin de la autocracia, explica esta extraña mezcla de moderados y radicales, incluyendo la presencia de terroristas. De esta manera, el liberalismo ruso se situó en una posición más radical que cualquier otra corriente similar en el resto de Europa, lo que se pudo apreciar durante los acontecimientos de 1905.

La revolución de 1905 y sus consecuencias

La revolución que se desplegó a lo largo de 1905, y también del año siguiente en el campo, fue el primer alzamiento de masas contra el zarismo en la historia del Imperio, pero fue incluso más que eso: implicó el despertar a la vida política de una parte de los súbditos, incentivados por las transformaciones económicas, políticas y sociales que estaban en marcha.

Los meses anteriores al comienzo de 1905 estuvieron caracterizados por una intranquilidad creciente, que se manifestaba tanto en el campo como en el ámbito urbano.

Los disturbios campesinos se iniciaron en 1902 en un par de provincias de la región del bajo Volga, y se manifestaron bajo la forma de ataques directos contra los grandes propietarios y sus posesiones. Las explicaciones sobre este retorno de la conflictividad campesina son varias: tal vez la más conocida es la que remite a los problemas tradicionales de productividad y superpoblación del campo, que se vieron exacerbados por las dificultades crecientes que encontraban los campesinos para afrontar los pagos de redención cuando la fuerte presión impositiva del gobierno, que se manifestaba también en el aumento de los gravámenes sobre artículos de consumo, obligaba a disponer de mayores ingresos; se generó entonces una situación en la que el endeudamiento se transformó en una carga insoportable. Para otros analistas, los campesinos, opuestos tradicionalmente a toda inje-

[7] La guerra estuvo originada por las disputas entre ambos países por el control de Manchuria y Corea. La construcción del Ferrocarril Transiberiano amplió la presencia rusa en la región, y la idea del zar y de sectores de la Corte respecto de que se buscaba triunfar en una guerra «fácil» para potenciar el nacionalismo del pueblo y apartarlo de la revolución, condujo a una decisión tremendamente errónea.

El 9 de enero de 1905, una pacífica manifestación de trabajadores fue brutalmente represaliada por la policía y la caballería cosaca, en lo que se dio en llamar el «Domingo Sangriento».

rencia estatal, se negaron a continuar pagando sus obligaciones, optando por guardarse el dinero o gastarlo en bienes de consumo. Sea una u otra la explicación correcta, lo cierto es que en esos años los campesinos volvieron a aparecer como una fuerza potencialmente revolucionaria. Frente a esta situación conflictiva se hicieron oír con fuerza desde lugares cercanos al poder las voces que sostenían que la solución del problema campesino residía en la abolición de la comuna y la expansión del campesinado propietario para desactivar la protesta social y promover el desarrollo económico.

En las ciudades, por su parte, la lamentable actuación del gobierno durante el enfrentamiento con el Japón activó la actuación de la oposición, que aprovechó las diferencias existentes en los núcleos cercanos al poder para insistir en sus reclamos de transformaciones radicales en el sistema político.

La situación era difícil, ya que a pesar de sus aparentes concesiones Nicolás II estaba dispuesto a bloquear por todos los medios a su alcance cualquier tipo de modificación dirigida hacia el establecimiento de un gobierno representativo, y las fuerzas liberales no se manifestaban proclives a ceder en sus reclamos.

En ese clima de protesta se produjo el acontecimiento que dio comienzo al período revolucionario. El 9 de enero, una manifestación pacífica convocada por la Asamblea de Trabajadores Rusos, una organización monárquica que portaba iconos del zar, a cuyo frente estaba el cura George Gapon, muy cercano a los círculos del poder, culminó con una masacre desencadenada por la policía, ocasionando centenares de muertos y heridos. Los relatos de los testigos mostraban la brutalidad del comportamiento de la caballería cosaca; una vez más, el régimen aparecía reprimiendo sin contemplaciones a sus súbditos.

Las reacciones que generó el «Domingo Sangriento» fueron de largo alcance: obreros, campesinos, estudiantes, representantes de las minorías nacionales, políticos, se movilizaron en los meses siguientes hasta hacer tambalear a la autocracia. Sólo en enero más de 400.000 trabajadores se declararon en huelga, generando la mayor oleada de protesta social que se había producido hasta ese momento en Rusia. Además, las nuevas derrotas sufridas en Mukden y Tsushima ante los japoneses no hicieron más que confirmar la incompetencia del gobierno. Algunas de las manifestaciones carecían de precedentes, mostrando las dimensiones de los conflictos que atravesaban la coyuntura: sacerdotes criticando a la jerarquía eclesiástica; mujeres trabajadoras denunciando los agravios de sus compañeros de trabajo y de sus jefes. De repente, grupos que antes no se habían hecho oír ahora aparecían formando asociaciones, convocando a mítines, debatiendo sus problemas

públicamente. Se trataba de actividades espontáneas, iniciadas y desarrolladas sin intervención alguna del Estado; había penetrado la idea de que debía edificarse un nuevo orden, y había que hacerlo a la mayor brevedad posible.

Con la plana mayor de sus dirigentes en el exilio o desterrados en Siberia, los partidos socialistas no estuvieron en condiciones de desempeñar un papel relevante en esos primeros momentos, por lo que la voz cantante entre la oposición correspondió a los grupos liberales, dado que «la sociedad educada se sentía ultrajada por la matanza del Domingo Sangriento».

Durante la primera parte del año el gobierno se mostró incapaz de controlar la situación; como bien se ha dicho, sus iniciativas fueron «muy escasas, muy tardías y desesperanzadoramente inapropiadas». La máxima concesión que estuvo dispuesto a otorgar Nicolás II en esos momentos fue la promesa de que se iba a crear una institución representativa, para lo cual se encargó a un grupo de expertos para su redacción.

Los integrantes de la *Unión para la Liberación* sintieron que el éxito estaba próximo y redoblaron sus esfuerzos para lograr la convocatoria de una Asamblea Constituyente, utilizando para ese objetivo una organización más amplia conocida como la *Unión de Uniones*. Creada en el mes de mayo bajo el liderazgo del profesor Pavel Miliukov, la *U.de U.* agrupaba catorce «uniones» de profesionales e intelectuales, e incluía también la organizaciones del tipo de la *Unión para la Igualdad de los Judíos* o la *Unión para la Igualdad de la Mujer*. La radicalidad de las posiciones emergentes de la nueva institución, que proponía una estrategia revolucionaria apuntalada por variados métodos de lucha destinados a acabar con la autocracia —incluyendo el llamado a una huelga general—, hizo muy difícil llegar a puntos de acuerdo con quienes sustentaban posiciones constitucionalistas moderadas.

De cualquier manera, la convocatoria a una Asamblea Constituyente, presumiblemente dominada por los sectores privilegiados, tenía muy poco significado para vastos segmentos de la sociedad rusa. Los campesinos, por ejemplo, se agruparon en la *Unión de Campesinos de Rusia*, la que en su primer congreso realizado en julio reclamó nada más y nada menos que la abolición de la propiedad privada de la tierra.

Una novedad del momento fue la irrupción en la vida política de las clases burguesas, propietarios de fábricas y comercios. Indiferentes hasta ese momento a la propaganda y la acción de los liberales, la situación de 1905 les llevó a pronunciarse en el debate sobre el futuro de Rusia. Si bien su visibilidad se manifestó a través del pronunciamiento individual y colectivo en lo que parecía percibirse como el despertar de una «conciencia de clase» en el sentido marxista, al poco tiempo las dimensiones de los reclamos generales de cambio y la actitud de obreros y campesinos los llevaron a volver sobre sus pasos y reclamar el retorno a la ley y el orden.

A principios de agosto se dio a conocer finalmente la propuesta oficial, impulsada por el ministro del Interior, A. G. Bulyguin. La misma proponía la creación de una *Duma* (Parlamento) compuesta por representantes del pueblo pero cuyas funciones iban a ser, sin embargo, puramente consultivas, a la vez que su disolución podía ser dispuesta por el zar sin justificación alguna. Las críticas fueron rotundas, tanto desde la oposición —que la consideraba absolutamente insuficiente— como desde los sectores más reaccionarios del régimen, que la consideraban una claudicación intolerable. Por otra parte, la ley electoral que regiría para los comicios, además de ser de una gran complejidad, limitaba al máximo la participación. Como era de prever, el rechazo a la iniciativa gubernamental fue masivo, produciéndose nuevas huelgas y movilizaciones durante los dos meses siguientes en las principales ciudades y capitales de provincia. Esta situación de tensión, inflamada por los grupos liberales, fue acompañada por la profundización de las revueltas campesinas y la insubordinación del ejército y la flota, generando hacia mediados de octubre una crisis sin precedentes. Las dimensiones adquiridas por la acción de los trabajadores llevaron a la búsqueda de nuevas formas de organización, situación que dio lugar al surgimiento de los Soviets de Diputados Obreros, constituidos por representantes de los trabajadores elegidos democráticamente. Los soviets permitieron a los obreros desplegar una acción política de envergadura, en la que participaron los partidos socialistas, inicialmente renuentes a intervenir en una institución a la que veían como desorganizada y carente de orientación política.

Un joven León Trotski en una fotografía de la policía zarista.

Los caminos disponibles por parte del gobierno para superar la crisis eran dos: una dictadura militar o el otorgamiento de concesiones destinadas a instaurar un régimen constitucional. Asesorado por el ex ministro de Finanzas, Witte, que había retornado al primer plano como negociador de la paz con Japón, Nicolás II optó por la segunda opción, lanzando el llamado *Manifiesto de Octubre*, por el que se garantizaba el ejercicio de las libertades civiles, se convocaba a elecciones para elegir una *Duma* y se establecía la regla de que ninguna disposición legal podía ponerse en vigencia sin la aprobación de la *Duma*. Dos días más tarde se creaba el cargo de primer ministro (presidente del Consejo de Ministros era la deno-

minación oficial), y Witte fue designado para ocuparlo.

Parecía haberse producido el triunfo de la democracia, y así lo creyeron muchos: al día siguiente, el Soviet de San Petersburgo realizó una multitudinaria manifestación celebrando el fin de la autocracia; desde los balcones de la universidad, un joven militante cercano en ese entonces a las posiciones mencheviques, León Trotski, arengó a la multitud reclamando una acción decisiva que acabara definitivamente con el zarismo.

Sin embargo, el *Manifiesto de Octubre* dio como resultado la división de las fuerzas opositoras, ya que muchos liberales y también sectores obreros pensaron que los objetivos se habían alcanzado y aflojaron en su combatividad. A su vez, el gobierno acompañó la publicación del *Manifiesto* con una intensificación de la actividad represiva: el Soviet de San Petersburgo, en el que Trostki y los mencheviques tuvieron un papel fundamental, fue neutralizado en su actuación, arrestando al comité ejecutivo en pleno y a alrededor de doscientos delegados. Además de las fuerzas del orden, en las tareas punitivas participaron grupos de extrema derecha, las llamadas *Centurias Negras*, que desarrollaron un violento ataque del cual los judíos llevaron la peor parte. La actividad revolucionaria en las ciudades quedó entonces limitada a Moscú, cuyo Soviet inició en diciembre un alzamiento que se prolongó durante algunas semanas y fue neutralizado con un saldo de más de mil muertos. Fue el último acto de esta oleada revolucionaria, aunque las revueltas campesinas y los alzamientos impulsados por los grupos nacionalistas no rusos se prolongaron durante todo el año 1906 y parte de 1907.

Las convulsiones de 1905 no pueden ser descritas como una revolución en el sentido estricto de la palabra: no hubo cambio real entre quienes detentaban el poder; por esta razón, Lenin describió los eventos de ese año como un «ensayo» de la revolución, fundamental como preparación para lo que finalmente ocurrió 1917.

El *Manifiesto de Octubre* marcó también el momento de inflexión a partir del cual comenzaron a organizarse los partidos políticos a los efectos de estar preparados para la realidad que se aproximaba. El nuevo escenario era objeto de evaluaciones muy diferentes: mientras que para los partidarios moderados del zarismo se trataba de utilizar la *Duma* para iniciar la reconstrucción de Rusia sobre la base de cambios de la menor relevancia posible, para los exaltados de extrema derecha era la ocasión de atacar a las ideologías «foráneas» —liberalismo, socialismo—, a los efectos de crear las condiciones para la restauración de la autocracia con su ilimitado poder tradicional. En la primera de las posiciones se encontraban agrupaciones como los Octubristas (Unión del 17 de Octubre), que se constituyeron a los efectos de defender las bases del *Manifiesto*; en la segunda se alineaban agrupaciones como la abiertamente antisemita *Unión del Pueblo Ruso*.

Para los opositores, en cambio, la *Duma* se convertía en el ámbito donde continuarían desarrollando su lucha contra la autocracia; por supuesto, existían matices entre los partidos socia-listas en sus diferentes variantes y los grupos liberales que en el mismo mes de octubre de 1905 conformaron el *Partido Democrático Constitucional* (Kadete), bajo la conducción del historiador Paul Miliukov.

Lo que sin duda resultaba indiscutible era que para hacer posible el éxito del nuevo edificio institucional se necesitaba un cierto nivel de compromiso por parte de todos los sectores, y en este aspecto las cosas no estaban claras: por una parte, era difícil imaginar que Nicolás II estuviera dispuesto a aceptar realmente el hecho de que la *Duma* era una parte legítima del aparato de gobierno; por otra, existían grupos y dirigentes políticos para quienes el parlamento que se había creado era sólo una plataforma para la acción, que apuntaba hacia otros objetivos.

Los meses que transcurrieron desde octubre de 1905 hasta abril de 1906 no sólo marcaron el punto más alto de la agitación social sino que fueron de febril actividad política. Bajo la conducción de Witte, el gobierno lanzó una serie de iniciativas que concluyeron con la promulgación de las Leyes Fundamentales, especie de «carta otorgada» que establecía los principios de la nueva realidad institucional. Mientras tanto, los partidos recién creados daban a conocer sus programas y se lanzaban a la búsqueda de apoyo en la sociedad civil. La convocatoria a elecciones obligó a definirse respecto de la participación en las mismas, lo que llevó a los partidos socialistas a pronunciarse por la abstención.

A pesar del clima contrarrevolucionario, las elecciones no arrojaron el resultado previsto por quienes rodeaban al zar, generando una situación que, como veremos, hizo muy difícil el funcionamiento del régimen pensado por quienes ejercían el poder.

La revolución de 1905 ha sido definida con mucha justeza como una «revolución burguesa fracasada»: la debilidad de los grupos liberales y la intransigencia de la autocracia determinaron que los primeros adoptaran una posición radical cercana a las agrupaciones de izquierda, que contara con el apoyo de éstos, los cuales se lanzaron a la calle desafiando al poder. Sin embargo, aun en condiciones precarias, el zarismo resistió; logró superar la coyuntura acordando la implementación de un régimen parlamentario que se desarrolló en condiciones constitucionales limitadas.

El Imperio ¿constitucional?

El 27 de abril de 1906 se produjo una extraña ceremonia en el Gran Hall del Palacio de Invierno: Nicolás II recibió a los diputados electos de la Primera Duma. Era la primera vez desde el siglo XVII que el zar y los representantes del pueblo ruso se encontraban cara a cara. La situación no fue agradable para ninguna de las partes: Nicolás II se sintió ofendido por la frialdad con que fue recibido mientras que los diputados, muchos de ellos simples campesinos que nunca habían abandonado sus aldeas natales, se encontraron desubicados y atemorizados por el esplendor y boato de la corte.

Se estaba ante los inicios de una experiencia inusual: en los comienzos del siglo XX Rusia daba los primeros pasos hacia la transformación de un imperio multinacional en una monarquía constitucional, intentando a la vez crear una nación cívica a partir de los variados materiales que conformaban el antiguo imperio.

Este intento fue impulsado por la Revolución de 1905; en los momentos culminantes de la misma el régimen estuvo al borde de la desintegración, por lo que se vio obligado a implantar una serie de innovaciones opuestas a las tradiciones políticas rusas, las que se buscaban consolidar en pocos meses cuando en muchos países occidentales el proceso había llevado siglos.

Los poderes concedidos a la *Duma*, el nuevo Parlamento, eran similares a los que detentaba el *Reichstag* en Alemania. Eran parte de un sistema bicameral, siendo la Cámara Alta un reformado Consejo de Estado. Ambas cámaras tenían iniciativa legislativa, autoridad para reformar los proyectos y derecho de veto. El gobierno, por su parte, estaba autorizado a adoptar medidas de emergencia, las que sin embargo debían ser luego aprobadas por las dos cámaras.

El poder ejecutivo continuaba en manos del emperador y la formación del gabinete ministerial no estaba a sujeta a control por parte de la *Duma*. A su vez, como vimos, fue creado el cargo de primer ministro con la responsabilidad de coordinar la política gubernamental.

Nicolás II sostenía que, a pesar de las concesiones realizadas, el sistema que presidía era una «autocracia», y esta palabra seguía manteniéndose en las Leyes Fundamentales, aunque excluyendo el adjetivo «ilimitada». La posibilidad de manejar la situación provenía del control que ejercía sobre el Consejo de Estado, la mitad de cuyos integrantes eran elegidos todos los años por el mismo emperador.

El sistema electoral que se puso en vigencia para la elección de los integrantes de la *Duma* era amplio pero con limitaciones: excluía, por ejemplo, a las mujeres, a los sirvientes y a los obreros empleados en pequeños establecimientos. Estaba organizado para favorecer a los propietarios, pero los trabajadores y los campesinos estaban representados.

El resultado de las primeras elecciones sorprendió a Witte y a los círculos cercanos al zar: a pesar del boicot lanzado por los partidos de izquierda la participación del campo fue alta y la mayoría de los votos fueron a candidatos que, más allá de otras posiciones políticas, sostenían la idea de que la tierra debía ser transferida a manos de los campesinos[8].

Una parte importante de los diputados se acercó a las posiciones de los trudovikes[9], y en conjunto presionaron para reclamar al zar una ampliación de las libertades democráticas y una legislación agraria avanzada, para lo cual contaron con el apoyo del Partido Kadete, la agrupación política más votada, muchos de cuyos legisladores debían su escaño al apoyo de los campesinos. La imposibilidad de llegar a un acuerdo en estos temas —el zar no respondió a las demandas de los parlamentarios— fue la causa principal de la disolución de la *Duma*, dispuesta por el zar en julio de 1906.

La respuesta de los diputados del Partido Kadete y de algunos trudovikes frente a esta decisión fue la de apelar al pueblo: se retiraron al territorio de Finlandia, donde regía una legislación diferente, y desde la localidad de Vyborg lanzaron un manifiesto en el que exhortaban a la sociedad a no pagar impuestos ni a suministrar reclutas para el ejército. El llamamiento tuvo escasa repercusión y dio elementos al régimen para que desarrollara una amplia actividad represiva que disminuyó de manera drástica la voluntad rupturista de los kadetes. No obstante, con acciones de este tipo se manifestaba la postura radical que estaba latente en la agrupación liberal.

La disolución de la Primera *Duma* se produjo junto con el ascenso a primer ministro, en reemplazo de Witte, de Peter A. Stolypin, la personalidad política más importante del último período del zarismo. La razón de esta afirmación reside en que desde su cargo, y hasta su asesinato en 1911, intentó llevar adelante la más audaz reforma desplegada durante el último período del zarismo.

Stolypin no era un integrante de la elite que manejaba los asuntos políticos en San Petersburgo; si bien provenía de la aristocracia terrateniente, su experiencia de gobierno la había adquirido en el interior del imperio —durante los acontecimientos de 1905

---

[8] De los 448 escaños, 182 correspodieron a los kadetes, 104 a los trudovikes y 52 más a otros candidatos de izquierda.

[9] Los trudovikes eran un partido político de raíces populistas, que apoyaba la idea de la distribución de la tierra sobre la base de una norma *(trudovaia)* de trabajo, pero no se consideraban socialistas; contaban con apoyo campesino y de la clase media urbana. Su trabajo político durante el período constitucional fluctuó entre el apoyo a los kadetes primero y a las posiciones socialdemócratas más tarde.

Peter A. Stolypin.

desempeñó el cargo de gobernador de la provincia de Saratov, centro principal de las revueltas campesinas—, desde donde marchó directamente a la capital para asumir las responsabilidades de ministro del Interior primero y luego de primer ministro.

Hombre de talante autoritario, ganó prestigio entre los círculos conservadores por su capacidad para restaurar el orden; suya fue la responsabilidad en el cierre de numerosos periódicos y en el ajusticiamiento, detención o destierro de miles de detenidos políticos, lo que le granjeó el odio de los liberales y de la izquierda. El problema del orden público era muy serio: para citar sólo un elemento, la continuidad del fenómeno terrorista dejó como saldo entre 1905 y 1909 la cantidad de 2.828 muertos y 3.332 heridos.

Pero su gestión no se limitaba a la represión: él mismo se consideraba un reformista y durante los años en los que dispuso de poder fue el impulsor de una serie de cambios que sin embargo apuntaban hacia el reforzamiento del zarismo. El punto fundamental de su política reformista, resultado de años de convivir y estudiar los problemas agrarios, consistía en proceder a la disolución de la comuna campesina, concediendo a los campesinos el derecho de propiedad de sus tierras y la libertad absoluta para comprar y vender sus explotaciones. De esta manera, no sólo pensaba que se resolvía el problema revolucionario sino que se facilitaba la postura de los campesinos más eficientes, que pasarían a conformar una clase media de propietarios capitalistas afectos al régimen, protagonistas principales de la modernización del sector y factores de estabilización política. Para facilitar el proceso se dieron por cumplidos los «pagos de redención», una pesada carga para muchos campesinos.

Esta transformación económico-social del campesinado constituía la base para una serie de reformas destinadas a otorgarle a éste un *status* político y social compatible con su importancia económica dentro del Imperio. Las mismas apuntaban hacia una amplia transformación de la administración local, tan arcaica como la agricultura, y también del sistema judicial, que estaba dividido en dos secciones, una para el campesinado y otra para el resto de la población. La idea de una justicia igual para todos formaba parte de una concepción general de Stolypin respecto de que debían incrementarse los derechos civiles de los integrantes del Imperio, e incluso se extendía hasta abarcar la situación de las minorías religiosas, acabando con las discriminaciones de que eran objeto todos aquellos que no profesaban las creencias ortodoxas. Esta política, sin embargo, tenía un límite: los judíos, dado que las modestas iniciativas en su beneficio que intentó implementar Stolypin contaron con la oposición del zar, quien sostuvo que «una voz interior le decía que no debía aceptarlas».

El reformismo del nuevo primer ministro no se extendía a la *Duma*: la consideraba simplemente un apéndice del Estado, dedicado a apoyar las políticas gubernamentales, no a controlarlas. La soberanía para él residía en el Poder Ejecutivo, no en el pueblo representado en el Parlamento. Por tanto, la Segunda *Duma*, que comenzó sus deliberaciones en febrero de 1907, tendría vida mientras se comportara de acuerdo a sus deseos. Sin embargo, la realidad era rebelde: las elecciones mostraron la persistencia de una fuerte oposición, que se plasmaba en la existencia de 204 diputados socialistas de distintas agrupaciones —habían levantado el boicot a los comicios— sobre un total de 518, además de 91 kadetes. La llamada «*Duma* de la cólera nacional» se caracterizó por la enérgica oposición a la política gubernamental, por lo que Stolypin tuvo pocos escrúpulos para disolverla antes de los cuatro meses de funcionamiento. Seguidamente, el primer ministro promulgó en junio una nueva ley electoral en la que se amplió el peso electoral de los rusos frente a los no-rusos, y de las clases acomodadas frente a los obreros y los campesinos. Las nuevas reglas de juego fueron definidas por la oposición liberal como un golpe de Estado, pero cumplieron su misión de poblar la Tercera *Duma* de una mayoría de derecha, encabezada por los octubristas (154 diputados); los kadetes quedaron reducidos a 54 representantes (sobre 441), y la izquierda —bolcheviques más trudovikes— apenas llegó a 32.

Sin embargo, la conformación del nuevo Parlamento, que se reunió a partir de noviembre de 1907 y prolongó sus sesiones más de cuatro años y medio, no tuvo la docilidad que Stolypin esperaba; sus reformas eran demasiado radicales para la derecha, e incluso Nicolás II se fue convenciendo progresivamente de que su primer ministro constituía un obstáculo en su intento de retomar el poder de manera absoluta.

Fue así que, cuando el 1 de septiembre de 1911 un estudiante revolucionario que era a la vez informante de la policía, D. G. Bogrov, lo asesinó en la Ópera de Kiev, su situación política ya era muy difícil de sostener.

La obra de Stolypin ha sido objeto de evaluaciones contrapuestas: cuando se produjo el estallido de la guerra, alrededor de dos millones y medio de familias campesinas, sobre un total de 15,3 millones, habían recibido títulos de propiedad sobre sus tierras, que antes formaban parte de la estructura comunal; de ese total, alrededor de 1,3 millones habían dado el paso siguiente, cercando la tierra unificada en una sola explotación. Como contrapartida de esta visión positiva, también se argumenta que la mayor parte de estas privatizaciones se llevaron a cabo en los primeros años de la reforma y algunos indicios dan lugar a pensar que se trataba de gente que ya había abandonado la tierra y simplemente estaba legalizando su situación. En muchas regiones las explotaciones eran muy pobres como para que los campesinos pudieran desarrollar su actividad en forma independiente. Por tanto, cabe concluir que los cambios producidos en el campo no eran suficientes como para pensar en la existencia de un movimiento decisivo a favor de la privatización de la tierra.

En cuanto a las otras reformas, la oposición de la derecha instalada en la *Duma,* la actitud obstruccionista de Nicolás II y los métodos propios del mismo Stolypin —capaz de tomar decisiones como la ley electoral de junio de 1907, que burlaba las mismas Leyes Fundamentales impuestas desde el poder— no permiten pronunciarse de forma rotunda a la hora de discutir la posibilidad de que la estrategia llegara a alcanzar sus objetivos.

Los años de Stolypin fueron de profunda crisis dentro del movimiento obrero y en los partidos socialistas, fuertemente afectados por la derrota de 1905 y por la acción represiva del régimen. El principal dirigente del Soviet de San Petersburgo, León Trotski, fue encarcelado junto con un gran número de militantes; figuras de relevancia como Lenin, que había retornado al país desde el exilio en noviembre de 1905, se vio obligado a trasladarse a Finlandia, donde estaba relativamente seguro, pero se trataba sólo del primer paso hacia un nuevo exilio, que se inició en diciembre de 1907.

La estabilización política que se produjo a partir de la Tercera *Duma* y el retorno del crecimiento económico

tras los sucesos revolucionarios determinaron que la actividad de los partidos socialistas se caracterizara tanto por la escasa presencia en el escenario político-social como por la continuidad de las polémicas internas. Fueron épocas en las que los bolcheviques incluso optaron por la vía de las «expropiaciones» —asaltos, extorsiones— para financiar su actividad, lo que contribuyó a incrementar su aislamiento respecto del resto de la sociedad, al tiempo que eran duramente cuestionados por los mencheviques. No obstante, la estructura organizativa del partido se mantuvo incluso en la clandestinidad, lo que le permitió tener una participación importante cuando se produjo el retorno de la intranquilidad social, desplazando incluso en algunos sindicatos a los mencheviques, que tenían una posición dominante desde 1905.

En efecto, a partir de 1911 se produjo un aumento de las huelgas y movilizaciones obreras, producto, entre otras razones, de la irrupción de una nueva generación de trabajadores caracterizados por la combatividad. La masacre de trabajadores que se produjo en la minas de oro de Lena en abril de 1912 se convirtió en un acontecimiento a partir del cual la protesta obrera comenzó a manifestarse con enorme fuerza. Incluso las estadísticas del gobierno, caracterizadas por una clara tendencia a subestimar el número de huelguistas, reconocieron que a lo largo de 1912 cerca de 550.000 trabajadores habían participado en huelgas, cifra que era inferior a la de 1905 pero muy superior a la de todos los años posteriores. La tendencia se mantuvo de allí en adelante hasta el estallido de la guerra en 1914, justificando el hecho de que numerosos observadores llamaran la atención sobre el aumento de la protesta obrera, reintroduciendo un factor de inquietud tanto para quienes ejercían el poder político como para las clases económicamente dominantes. Se trataba de un proceso paralelo al crecimiento numérico de la clase trabajadora industrial, que entre 1910 y julio de 1914 aumentó de 1.800.000 a 2.400.000, circunstancia que nos brinda indicios respecto de quienes componían el grueso de los huelguistas: masas de campesinos que habían abandonado la tierra muy poco tiempo antes y que, liderados por una nueva camada de militantes radicales surgida después de los sucesos de 1905, llevaron adelante una protesta en la que las demandas estaban planteadas en términos claramente confrontativos y en la que los bolcheviques ocupaban un lugar relevante. Como bien se ha comentado, se da en esta coyuntura la paradoja de que los seguidores del partido de Lenin en su mayoría no eran los obreros más formados sino quienes «se guían en mayor medida por instintos y sentimientos antes que por conciencia y cálculo».

El período en el que el Imperio zarista se transformó en una monarquía constitucional ha generado un debate profundo, que puede plantearse a partir de estas preguntas: ¿fue el impacto de la guerra el elemento desencadenante de la revolución o las contradicciones que se estaban verificando en la sociedad rusa conducían a una situación en la que una alternativa revolucionaria se tornaba posible?

La primera de las respuestas afirma que desde 1905 Rusia estaba experi-mentando un importante progreso económico y político que la hubiera llamado a convertirse en una monarquía constitucional estable si no fuera por el estallido de la guerra en 1914. Con un parlamento por lo menos parcialmente representativo, una sociedad en condiciones de debatir abiertamente, una economía en recuperación, un campesinado independiente gracias a las reformas que había iniciado Stolypin y una burguesía que estaba empezando a obrar como tal, aunque numéricamente fuera poco importante, para muchos analistas partidarios de los ejercicios «contrafácticos», Rusia hubiera avanzado más o menos rápidamente en el camino de su modernización; la agudización de las tensiones sociales no sería entonces más que una situación coyuntural en una trayectoria que no era fácil pero que sin duda estaba en marcha. Por otra parte, el Partido Bolchevique se encontraba en una situación tan débil en relación con las masas y con las otras agrupaciones socialistas que estaba al borde de su misma desaparición, por lo que tuvo que producirse el desastre de la guerra para que la situación tomara el derrotero que tomó. No es difícil, por supuesto, identificar el carácter básicamente conservador de este abordaje.

La otra explicación, por el contrario, se preocupa por destacar que, por lo menos en los dos años anteriores al estallido de la guerra, las tensiones sociales habían reaparecido con vigor, anunciando el comienzo de un nuevo ciclo revolucionario, por lo que el conflicto que se desencadenó en 1914 no hizo sino acelerar un proceso que ya estaba en pleno desarrollo, agudizando las contradicciones de una sociedad en la que las modificaciones que se habían implantado a partir de 1906 eran absolutamente insuficientes. Por el contrario, se llega a argumentar que en los primeros momentos de la guerra, con el resurgir de las posiciones nacionalistas y la represión de las agrupaciones socialistas, se frenó durante un tiempo el ímpetu revolucionario, que reapareció en los últimos meses de 1915. Por supuesto, esta posición apunta a reforzar la idea de que la revolución era inevitable; la cuestión pasa a ser entonces si *todo* el proceso era inevitable o si, como es plausible sostener, a partir de la caída del zarismo se abría un abanico de posibilidades, de las cuales la Revolución de Octubre era una de las más impensadas.

Rusia frente a la guerra

Cuando Nicolás II apareció en el balcón del Palacio de Invierno al día siguiente de la declaración de guerra, la multitud instalada en la plaza lo aclamó ruidosamente. Muchos pensaron que esa comunicación establecida entre el zar y su pueblo era la demostración de la existencia de un nuevo clima en la nación. Sin embargo, no todos pensaban en términos tan optimistas. Pocos meses antes de estallar el conflicto, en febrero de 1914, Peter Durnovo, líder del grupo conservador en el Consejo de Estado y ex ministro del Interior, escribió un *memorándum* dirigido al zar en el que sostenía que Alemania y Rusia constituían los representantes de los principios conservadores frente a los democráticos, por lo que una guerra con el Reich sería desastrosa. Además, argumentaba respecto de los aspectos económicos del conflicto, sosteniendo que el país carecía de los recursos financieros indispensables para librarla y afirmaba que tanto una victoria como una derrota tendrían desfavorables consecuencias, ya que inevitablemente se desencadenaría una revolución social en el país vencido, la cual, «por la naturaleza de las cosas, se extendería al país vencedor».

La suerte del ejército ruso fue variada en los primeros meses de la guerra. Apenas iniciado el conflicto, las tropas comenzaron a avanzar sobre Prusia; este rápido movimiento estuvo provocado por las características de su alianza con Francia. Los planes alemanes se basaban en la concentración de fuerzas en el oeste con el objeto de obtener una rápida y decisiva victoria sobre Francia, partiendo de la suposición de que Rusia movilizaría lentamente sus tropas; una vez obtenida la rendición francesa, Alemania dirigiría sus fuerzas hacia el este, antes de que el ejército ruso estuviera en condiciones de realizar una acción ofensiva. El avance sobre Prusia desbarató entonces esos planes, obligando a los alemanes a enviar un número considerable de efectivos hacia el frente oriental. Durante los primeros meses de la guerra, sin embargo, los rusos hicieron patente su falta de preparación para el conflicto que se había desencadenado. La caballería mostró su ineficacia frente a la capacidad de fuego que la artillería podía desarrollar; las nuevas armas mostraron una velocidad de tiro muy superior a la que se había imaginado, por lo que el número de bajas fue elevadísimo. En las batallas de Tannenberg (13-17 de agosto) y de los Lagos Masuarianos (24 de agosto-2 de sep-

Oficiales y campesinos rusos contemplan un bombardeo austriaco durante la Primera Guerra Mundial.

tiembre), las derrotas rusas implicaron la cifra de más de 200.000 entre muertos y prisioneros. Además, se perdió una importante porción de territorio a manos de los vencedores, lo que significó un duro golpe moral sólo parcialmente compensado por los éxitos obtenidos sobre el ejército austro-húngaro en Galitzia. Cuando los representantes militares franceses agradecieron el sacrificio del ejército ruso, el Gran Duque Nicolás, comandante en jefe del mismo, respondió: «Estamos felices de realizar estos sacrificios por nuestros aliados.»

Una de la claves del retraso ruso residía en la formación de sus soldados: mientras los combatientes alemanes o británicos estaban alfabetizados y habían recibido algún tipo de adoctrinamiento patriótico, los reclutas rusos podían perfectamente ser analfabetos, y si no lo eran, su formación resultaba por demás rudimentaria, inculcada tal vez por maestros cuyo afecto por el zarismo era casi con seguridad nulo. El general Yanushkevich afirmaba en 1915 que «un soldado proveniente de la provincia de Tambov es capaz de dejarse matar por su tierra, pero la guerra en Polonia le resulta extraña e innecesaria».

A finales de 1914 la guerra entró en un punto muerto. Las comunicaciones de Rusia con sus aliados se vieron interrumpidas como consecuencia de la entrada en guerra de Turquía del lado de Alemania y Austria, lo que determinó que los puertos rusos del mar Negro se tornaran prácticamente inútiles. A partir de mayo de

1915 tanto austriacos como alemanes obtuvieron victorias significativas: los primeros recuperaron los territorios perdidos y los alemanes ocuparon Varsovia y las zonas industriales polacas. En los últimos meses de ese año, las tropas del Reich estaban acercándose a la importante ciudad de Riga, en la costa del Báltico. Las pérdidas en territorios y recursos fueron importantes para los rusos, pero también las bajas humanas resultaron enormes: más de un millón de soldados murieron y una cantidad parecida fue hecha prisionera.

Una de la consecuencias trascendentes de estas derrotas fue que en agosto de 1915 el zar decidió asumir el mando supremo de las fuerzas armadas reemplazando al Gran Duque Nicolás, a pesar de las advertencias de sus consejeros respecto a que a partir de ese momento pasaba a ser responsable directo de la suerte del ejército, con el impacto político correspondiente en caso de ser ésta adversa para las armas rusas.

La situación bélica mejoró para Rusia durante las campañas de 1916. Su más reconocido militar, el general Brusilov, recuperó parte de los territorios arrebatados a Austria dos años antes y perdidos en 1915. El éxito, sin embargo, no acompañó al ataque desencadenado contra Alemania en el norte. En algunos aspectos, las fuerzas armadas del Imperio se comportaron mejor de lo esperado, teniendo en cuenta que no se había completado el programa de modernización iniciado en 1908. Lo hecho, sin embargo, no era suficiente para hacer frente a la potente maquinaria bélica germana.

La guerra tuvo un profundo y decisivo impacto sobre la economía rusa. Antes de 1914, la principal relación comercial en términos cuantitativos era la existente con Alemania; por tanto, en lo inmediato se debió afrontar una situación caracterizada por la desaparición de este socio fundamental. Además, el tráfico se vio afectado no sólo por el ya citado cierre del mar Negro sino también por el bloqueo del Báltico y por las limitaciones impuestas por el gobierno sueco a la utilización de su territorio para el transporte de armas. Los únicos puertos de salida para el comercio ruso eran los de Arcángel y Murmansk en el mar Ártico, y los del este asiático, situados en el extremo del Ferrocarril Transiberiano. Todos ellos eran de difícil acceso, por lo que en los años 1914-1915, el comercio exterior cayó aproximadamente un 40 por ciento.

Las demandas que las necesidades militares plantearon a la economía fueron severas. Casi quince millones de rusos sirvieron en las fuerzas zaristas durante la guerra y esta realidad afectó considerablemente al aparato productivo, que además estaba obligado a aumentar la producción industrial para compensar la disminución de las importaciones y para afrontar la necesidad de aumentar la fabricación de armas y municiones. Si bien existía un complicado sistema de excepciones al servicio militar, muchos obreros industriales fueron convocados en un momento de fuerte demanda de mano de obra cualificada.

La adaptación de la industria rusa a la situación bélica no fue fácil. La convicción generalizada entre los expertos del ejército respecto de que la guerra iba a ser corta condujo a que los abastecimientos fueran reducidos y a que no estuviera prevista la posibilidad de que las fábricas pudieran aumentar con rapidez la producción, manteniendo una provisión continua a lo largo de un período prolongado. El resultado fue que a lo largo de los dos primeros años la oferta estuvo muy por debajo de las necesidades del ejército, constituyendo éste un elemento más que contribuye a explicar las defecciones militares.

Después de 1915, el comportamiento de la industria rusa mejoró sustancialmente; no sólo se incrementó la producción de armamento y municiones sino que también aumentaron los suministros de carbón y petróleo. Igualmente, importantes fueron los intentos de coordinar los esfuerzos bélicos; se crearon comités de industrias de guerra que canalizaron los pedidos del sector militar. El resultado fue que en 1916 la producción industrial en Rusia era superior en un 20 por ciento respecto de la de 1913; el 5 por ciento que absorbía el sector militar en 1913 se incrementó hasta el 30 por ciento tres años más tarde. Este énfasis puesto en la industria estuvo acompañado por una fuerte reducción en la producción de bienes de consumo.

La demanda de hombres por parte del ejército y la industria tuvo un fuerte impacto sobre el campo: fue éste el que proveyó la mayor parte de los soldados y la mano de obra adicional para la industria. A medida que avanzaba la guerra, las mujeres fueron ocupando progresivamente el lugar de los hombres en las tareas agrícolas cotidianas. Por otra parte, la requisa masiva de caballos por parte del ejército afectó también la realización de las tareas agrícolas. No obstante, el campesinado obtuvo ventajas de la guerra: la partida de millones de campesinos al frente o a las ciudades determinó que fueran consumidos menos alimentos en las aldeas, por lo que hubo más excedentes para colocar en el mercado, en una coyuntura en la que los precios agrarios se duplicaron entre 1913 y 1916.

El dinero adicional que percibieron los campesinos sin embargo les fue de escasa utilidad, ya que había pocos productos manufacturados para comprar; los precios de éstos, entonces, subieron también aceleradamente, contribuyendo a potenciar un proceso de acelerada inflación. En estas circunstancias, no es sorprendente que los campesinos encontraran pocos incentivos para producir excedentes importantes. El área de tierra cultivable disminuyó y, por tanto, la cantidad de grano cultivado cayó casi un 20 por ciento en 1916-1917 respecto de los niveles de 1913. Esta caída de la producción fue agravada por el hecho de que los campesinos se negaban a vender la mayor parte de los excedentes.

El problema del suministro de alimentos a las ciudades y a los frentes de combate se agravó como consecuencia de las insuficiencias de los sistemas de transporte. Los ferrocarriles, a pesar de aumentar el número de locomotoras y vagones, se vieron desbordados por la movilización de tropas y de mercancías; la prioridad otorgada al transporte de soldados contribuyó a que la cantidad de cereales transportados disminuyera más del 30 por ciento entre 1913 y 1915.

El gobierno intentó tomar cartas en el asunto para afrontar el déficit alimenticio: se permitió a los funcionarios regionales establecer precios fijos para la producción agrícola y, en caso de que esta medida fuera ineficaz, se autorizó la requisa de alimentos a precios más bajos. Ante el fracaso de estos remedios parciales, se fueron estableciendo precios oficiales a nivel nacional para varios productos, medida que se extendió a los cereales en septiembre de 1916. El resultado fue que disminuyeron aún más los incentivos para los campesinos, y además crecientes cantidades pasaron a negociarse por los canales marginales. Hubo entonces que reducir las raciones de pan entregadas diariamente a los soldados, y asimismo disminuyeron los suministros a las ciudades, situación que contribuyó a agravar la tensión social, ya afectada por otras circunstancias.

Se ha afirmado, con cierto fundamento, que el comportamiento de la economía rusa, con todos los problemas indicados, permitía no obstante a las fuerzas armadas continuar la guerra. Sin embargo, no se tenía en cuenta el hecho de que la Primera Guerra Mundial era una guerra de un tipo muy diferente a las que hasta ese momento se habían librado; en particular se desconocían por completo las dimensiones del impacto que el conflicto podía producir en la población civil. La economía de guerra condujo a dramáticos ajustes en los patrones de consumo y producción de la población. Las demandas económicas de esta «guerra total» generaron tensiones sobre la sociedad mucho más fuertes incluso que las que predijo Durnovo.

La guerra también afectó profundamente al sistema político: una semana después del comienzo de la misma, se realizó una sesión especial de la *Duma* en la que todos los diputados, con la excepción de los cinco pertenecientes al Partido Bolchevique —y la abstención o ausencia de mencheviques y trudovikes—, votaron los créditos solicitados por el gobierno para financiar la participación en la guerra. Algunos importantes dirigentes marxistas como Plejanov, y anarquistas como Kropotkin, mostraron su aprobación por la intervención rusa. El presidente de la Duma, Miguel Rodzianko, declaró que «la guerra ha puesto rápido fin a todos nuestros conflictos domésticos (...), los rusos no conocieron una ola similar de patriotismo desde 1812». El gobierno actuó rápidamente para afianzar su autoridad de cara a la guerra: la censura fue reintroducida y amplias extensiones de la Rusia europea fueron sometidas a la ley marcial. A pesar de que la *Duma* estaba controlada por partidos de centro y de derecha, el gobierno desconfiaba de sus intenciones; en el año anterior al comienzo de la guerra había intentado en dos ocasiones avanzar en una propuesta de quitarle sus poderes legislativos y transformarla en un organismo puramente consultivo. El significativo papel que tuvo en julio de 1914 duró solamente un día; el gobierno intentó impedir que se reuniera con regularidad, logrando que hasta finales de enero del año siguiente no hubiera nuevas sesiones.

La impotencia de los partidos políticos para ejercer alguna influencia en el ámbito de la *Duma* dio lugar al surgimiento de iniciativas locales destinadas a ampliar la participación pública en el esfuerzo de guerra. Representantes de las instituciones de gobierno local crearon la *Unión de Ciudades* y la *Unión de Zemstvos* en los últimos meses de 1914 con el objetivo inicial de organizar el cuidado de los heridos a través de la provisión de una red de hospitales bien equipados. En la primera mitad de 1915, las dos instituciones establecieron una organización conjunta, conocida como *Zemgor*, en la que sus actividades se ampliaron de manera considerable; la misma tomó la iniciativa de organizar la evacuación de la planta industrial de Riga cuando estaba a punto de caer en manos de los alemanes. La importancia de estas organizaciones, lo mismo que la ya citada de los comités de industrias de guerra, no residió tanto en la tarea que realizaron —que fue significativa— sino en que constituyeron un foro en el que las clases medias, política y socialmente conscientes, tuvieron ocasión de discutir y articular sus puntos de vista.

Las derrotas militares de 1915 incrementaron la tensiones: los cuestionamientos no se limitaron a la dirección militar del conflicto sino también a la dirección política del país. Se sostenía que el fracaso militar mostraba la necesidad de permitir una real participación de representantes de la sociedad en las tareas de gobierno. Como respuesta, el zar removió a algunos de sus ministros más conservadores, aunque mantuvo al anciano Goremkin —75 años— como presidente del Consejo de Ministros.

A mediados de julio de 1915, integrantes de la *Duma* convocaron al presidente para discutir la deteriorada situación militar, y la situación fue aprovechada para atacar vigorosamente el manejo gubernamental de la guerra, hasta el punto de exigir el procesamiento por traición de Sukhomlinov, el anterior ministro de la Guerra. A pesar de que la mayoría de la *Duma* enfatizó que sus críticas tenían por objeto apuntalar el esfuerzo de guerra apartando a los incompetentes, los círculos conservadores que rodeaban al zar reaccionaron de forma negativa; el intento de disolver la sesión de la *Duma* sólo sirvió para polarizar la situación política, uniendo a la mayor parte de los diputados en contra del gobierno.

Enfrentados a un ejecutivo que rechazaba la idea de que los partidos políticos pudieran tener algún papel en el esfuerzo de guerra, alrededor del 70 por ciento de los diputados de la *Duma* se unieron formando el Bloque Progresista. Basado en los Octubristas y en los Kadetes, el Bloque, liderado por el kadete Paul Miliukov, logró también apoyo de los nacionalistas a la derecha y de los progresistas a la izquierda. Su demanda principal, expresada en el programa de agosto de 1915, consistía en la formación de un gobierno unificado compuesto por individuos que gozaran de la confianza de la nación, y que actuara de acuerdo con la *Duma* para la rápida implantación de un programa. Planteaban además una serie de medidas específicas destinadas al logro de una estabilidad interna que creían fundamental para encarrilar el rumbo de la guerra. Las mismas incluían el incremento de los derechos de las nacionalidades no rusas, mayor libertad para las organizaciones sindicales, reforma del go-

La emperatriz Alejandra.

bierno local, amnistía para presos por cuestiones políticas o religiosas y una demanda general para poner fin a las arbitrariedades del gobierno. A pesar de que el Bloque Progresista contó con el apoyo tácito de varios ministros, el programa fue visto por el zar como· totalmente inaceptable.

La presión política sobre Nicolás II se incrementó como consecuencia de su ya comentada decisión de asumir el mando como comandante en jefe del ejército. Para poner freno a las continuas críticas, el zar, por consejo de Goremkin, optó por suspender las sesiones de la Duma en septiembre, con lo que demostrada la absoluta intransigencia de quienes ejercían el poder: Nicolás II y sus consejeros no estaban dispuestos a compartir el gobierno del

Imperio con nadie, y mucho menos en un período de crisis profunda. Les guiaba la convicción de que realizar algún tipo de concesión a la opinión moderada implicaría un retorno a la situación posterior a 1905, cuando los partidos políticos pensaron que podían utilizar las nuevas instituciones para impulsar cambios «radicales». Al rechazar cualquier conciliación a la oposición moderada, representada por el Bloque Progresista, Nicolás forzó a la adopción de actitudes mucho más vigorosas por parte de aquélla.

A partir de la segunda mitad de 1915, el zar dedicó la mayor parte del tiempo a las actividades militares en el frente, dejando en la capital a la emperatriz Alejandra, que ejercía una considerable influencia sobre su marido. Su origen alemán y su carácter introvertido contribuyeron a que pasara a ser blanco de la crítica de vastos sectores de la sociedad —incluso entre las clases aristocráticas—; pero además generó una fuerte reacción negativa la presencia en la corte, con innumerables privilegios, del monje Gregory Rasputín, que a partir de su supuesta capacidad para detener las hemorragias de Alexis, el heredero hemofílico, se ganó la confianza de la emperatriz, hasta el punto de brindar consejos de tipo político, que se trasladaban al emperador[10].

A lo largo de 1916 se sucedieron los cambios de gabinete destinados a la búsqueda de soluciones a los efectos negativos de la guerra, sin apelar a la oposición nucleada en el Bloque Progresista. Sin embargo, los proble

---

[10] La figura de Rasputín resume el nivel de decadencia del zarismo bajo el reinado de Nicolás II. Algunos historiadores sostienen que fue él quien impulsó la idea de que el zar marchara al frente para así poder aumentar su poder sobre la emperatriz.

mas fueron provocando el ejercicio cada vez más activo de los partidos de oposición. Uno de los acontecimientos de mayor repercusión se produjo en noviembre, cuando en una reunión de la *Duma* Paul Miliukov pronunció un discurso en el que tras pasar revista a los errores del gobierno finalizó preguntando: «¿Es esto estupidez o traición?» Aunque el gobierno intentó censurar a la prensa para no difundir el texto del discurso, copias clandestinas circularon por todas las provincias del Imperio.

Hacia finales de 1916 la situación política se tornó prácticamente insostenible: por una parte, un abismo separaba al gobierno de las posiciones moderadas del Bloque Progresista, pero, además, entre las clases superiores del Imperio había un amplio descontento en contra de Nicolás II, hasta el punto de que en diciembre Rasputín fue asesinado por un pequeño grupo que incluía un primo lejano del zar, creyendo los autores que este acto contribuiría a salvar la monarquía. La idea de estos grupos era lograr la abdicación de Nicolás II y designar en su lugar a su hijo Alexis, pasando el Gran Duque Miguel, hermano del zar, a desempeñar el cargo de regente hasta la mayoría de edad de aquél.

Para deteriorar aún más la situación, las tensiones se fueron agravando casi desde el principio de la guerra. El descontento popular se había manifestado ya durante el proceso de movilización iniciado en 1914; muchos campesinos enrolados en el ejército mostraron escaso entusiasmo por participar en la guerra y las características de la misma contribuyeron a aumentar su descontento. Durante los primeros seis meses de la

Rasputín.

guerra cerca de 400.000 hombres perdieron la vida; los problemas de abastecimiento y el atraso del ejército ruso contribuyeron a incrementar el número de muertos, heridos y prisioneros. Las numerosas pérdidas experimentadas durante el primer año del conflicto determinaron que se reclutaran soldados bisoños, carentes de la preparación necesaria para afrontar las difíciles condiciones bajo las cuales se libraba la guerra. Por tanto, a partir de 1915 la deserción se transformó en un problema de creciente importancia. Los soldados se vieron afectados por la reducción de las raciones ocasionada por los problemas existentes en el sector agrario, pero además, por diferentes vías, estaban al tanto de la crisis política y económica que se vivía en la retaguardia: cuando marchaban unos días a su casa con permiso o, más frecuentemente, recibían cartas de sus familiares, la realidad les golpeaba con fuerza. En los últimos meses de 1916, se produjeron motines en una docena de regimientos, fenómeno que no se verificó exclusivamente en el ejército ruso pero que en la situación particular del Imperio alcanzaba mayor significación.

Había asimismo mucho descontento entre los campesinos, afectados por los problemas económicos que se han analizado más arriba. La creciente resistencia a enviar los excedentes de alimentos al mercado no sólo afectaba a los habitantes de las ciudades sino también a muchos cultivadores que necesitaban comprar parte de lo que consumían, por lo que los altos precios y la escasez causaron problemas en las aldeas. Por otra parte, la escasez de bienes de consumo en el mercado, y su alto precio, desalentaba la venta de productos agrarios, ya que el dinero percibido servía para poco.

Pero los problemas en el campo no eran solamente económicos: los rumores de traición en las clases aristocráticas a favor del invasor alemán eran frecuentes, con lo que el clima social se fue enrareciendo. El establecimiento de la ley marcial generó descontento entre la población campesina, en tanto la transferencia de la autoridad desde el poder civil al militar afectó la vigencia de los derechos individuales que se habían adquirido después de 1905. Durante la guerra, el número de revueltas campesinas aumentó, verificándose además una creciente intervención de la fuerza militar en la represión de las mismas.

De cualquier manera, las ciudades fueron las que en mayor medida sufrieron los efectos de la crisis económica. Dado que buena parte de la mano de obra debió marchar al frente, la demanda creciente de trabajadores se satisfizo con la aportación de mujeres y de niños, en condiciones laborales harto desfavorables. Las fábricas demandaron de sus trabajadores jornadas de trabajo más largas, pero los salarios, sobre todo en aquellas empresas en las que se empleó mano de obra femenina en cantidad significativa, no siguieron el ritmo de incremento de los precios.

Las condiciones de vida también empeoraron como consecuencia de la llegada a las ciudades ya superpobladas de contingentes de trabajadores con su demanda de alojamiento y alimentos. Una de las maneras a través de las cuales se expresó el descontento fueron las huelgas. Las circunstancias económicas condujeron a que los trabajadores estuvieran favorablemente dispuestos a abandonar su trabajo, en especial en los establecimientos textiles, donde la mano de obra femenina era mayoritaria y se veía afectada por los bajos salarios. Cuando se produjo el avance de los alemanes hacia el este, los huelguistas en Moscú reclamaron contra los empresarios de origen alemán y en favor de la expropiación de los propietarios sospechosos de ser pagados por el enemigo. En Petrogrado, las motivaciones políticas fueron la causa de la mayor parte de las huelgas, y a medida que avanzaba la guerra el número de éstas creció, particularmente en las industrias vinculadas con la defensa.

Durante la guerra, los partidos socialistas estaban divididos en dos grupos: los socialistas opuestos a la guerra, encabezados por los bolcheviques; y los moderados, que matizaban esa posición planteando la posibilidad de una guerra defensiva en contra de la agresión extranjera. El principal punto de divergencia se encontraba en ese momento en los métodos que defendía cada grupo respecto del camino a seguir para el triunfo de la revolución: mientras los bolcheviques sostenían que obreros y campesinos debían ser los protagonistas excluyentes de la misma, los moderados la imaginaban como resultado de la lucha contra el zarismo de amplios sectores de la sociedad, y en la cual la oposición liberal ocuparía un papel importante. Para el conjunto de los trabajadores, el mensaje más radical sintonizaba mucho más con el resentimiento que ellos experimentaban, por lo que los sectores moderados se vieron obligados a modificar sus posturas impulsando desde finales de 1916 una masiva campaña para el derrocamiento del zarismo. Esta radicalización, sin embargo, se desarrolló manteniendo vínculos más o menos estrechos con los sectores liberales, los cuales contaban con la acción de los dirigentes moderados para contener el impulso de los trabajadores dentro de límites más o menos definidos.

El invierno de 1916-1917 fue extremadamente riguroso y afectó la situación económica en la medida que incrementó la demanda de combustible y comida en un momento por demás difícil. Para poner sólo un par de ejemplos, en Moscú el precio del carbón de leña casi se triplicó entre septiembre de 1916 y febrero de 1917, mientras que en Petrogrado el precio de la leche aumentó un 40 por ciento. Muchos asalariados hacía tiempo que habían dejado de consumir huevos, carne, azúcar y frutas. Sin embargo, fue la carencia de pan el problema más serio que se vivió en la capital: la disminución en la provisión de harina llevó a las autoridades, al promediar el mes de febrero, a introducir el racionamiento y a restringir el consumo.

Las dificultades de aprovisionamiento y el aumento de los precios fueron factores fundamentales para que se manifestara la disconformidad de los trabajadores, que por medio de movilizaciones y huelgas reclamaron aumentos salariales y se manifestaron en contra de las autoridades. No se trataba de un proceso totalmente espontáneo: militantes de los partidos revolucionarios y simpatizantes sin afiliación contribuyeron a darle liderazgo y continuidad a la protesta proletaria, impulsada por el hambre.

Pero existió otro factor que contribuyó al deterioro de la situación, y sobre el que se ha insistido en las investigaciones más recientes: el impacto producido por los rumores respecto de la actuación del gobierno. Se ha destacado justamente la difusión de rumores sobre la corrupción moral existente en la familia real —aquí la figura de Rasputín brindaba enormes posibilidades—; sobre la traición en las altas esferas sirviendo al enemigo alemán —la zarina era prima del Káiser—, y respecto de la debilidad de Nicolás II, al que se consideraba incapacitado para gobernar. De esta manera, para vastos sectores de la sociedad —no necesariamente situados en las clases bajas— alzarse contra estos gobernantes degenerados, incapaces y traidores era un acto de patriotismo; ni rastros quedaban de la veneración que antes suscitaba la figura del zar.

Hacia finales de febrero, el escenario estaba preparado...

Capítulo 2

LAS REVOLUCIONES DE 1917

Tal como surge de la explicación que hemos desarrollado, la Revolución de Febrero de 1917 fue el resultado de la explosión de dos contradicciones fundamentales: el conflicto existente entre la «sociedad» y el «Estado», y la revuelta de las masas contra el orden establecido.

El desencadenamiento de la Revolución de Febrero

El 23 de febrero de 1917, las obreras textiles de las fábricas instaladas en el distrito Vyborg de Petrogrado —el que alojaba las industrias de mayor tamaño— iniciaron una huelga y se lanzaron a la calle conmemorando el Día Internacional de la Mujer; la consigna era una sola: «pan». Inmediatamente la huelga se extendió a las fábricas metalúrgicas vecinas y el liderazgo fue asumido por trabajadores experimentados. Si bien el número de huelguistas —alrededor de 80.000— era inferior al de otras huelgas que se habían producido en semanas anteriores, la combatividad de los manifestantes le dio una significación nunca antes alcanzada: las principales fábricas del distrito fueron cerradas ante la actitud de los huelguistas, que impedían a los trabajadores continuar su tarea. Se realizó también una importante manifestación, pero la policía impidió que la misma llegara al centro de la ciudad.

Al día siguiente, la huelga abarcó toda la ciudad; los huelguistas llegaron a 160.000 y cerraron 131 fábricas.

Además de las empresas metalúrgicas y textiles participaron obreros de otras industrias (papeleras, tabacaleras, procesadoras de madera, curtidurías, etcétera). En esta ocasión, los manifestantes llegaron hasta las principales arterias del centro de la ciudad, y si bien las fuerzas encargadas de la represión intentaron dispersarlos, la reacción de los trabajadores lo hizo difícil.

La huelga general del 25 paralizó a la capital: casi todas las fábricas cerraron, no hubo transporte de pasajeros, tampoco periódicos; no abrieron los bares, no hubo clases ni actividad bancaria. Los manifestantes incrementaron su audacia y se enfrentaron armados a la policía; los soldados y cosacos empezaron a dividirse entre quienes participaban de la represión y los que mostraban su apoyo a los huelguistas. La manifestación estuvo acompañada de saqueos a negocios e incluso el espectacular robo de un banco.

En ese día, el movimiento huelguístico llegó a su punto más alto, pero la revolución no se produjo; no cabían dudas respecto a que la acción de los trabajadores no era suficiente para acabar con el zarismo.

El 26 de febrero el gobierno, respondiendo a las órdenes enviadas por el zar desde su campamento, cambió de táctica, dedicándose a fondo y con violencia a suprimir el desorden. Las manifestaciones desaparecieron del centro y la paz parecía retornar, pero la orden de disparar sobre los huelguistas empujó a muchos soldados a elegir entre conciencia y obediencia; en la noche de ese día se rebeló la 4.ª Compañía del Regimiento Pavlovsky, produciendo un giro en los acontecimientos. Es preciso destacar que las fuerzas militares encargadas de la represión estaban compuestas en su mayoría por heridos que se estaban recuperando y por reservistas mayores de cuarenta años, lo que sin duda no constituía los mejores elementos para una tarea extremadamente delicada.

A partir del 27, la revuelta de los soldados se generalizó y hacia la noche casi todos los batallones de reserva instalados en la ciudad se habían incorporado, espontáneamente o bajo presión, al proceso insurreccional[11]. La ineptitud de las autoridades encargadas de la seguridad contribuyó al éxito de los rebeldes; en esa noche, el caos reinaba en la capital de Imperio y podía afirmarse que por lo menos allí la insurrección había triunfado. Varios ministros fueron encarcelados y las tropas leales se dispersaron. Sin embargo, Nicolás II seguía en funciones, dispuesto a la represión, y contaba con tropas como para alcanzar ese objetivo.

Uno de los hechos paradójicos de la Revolución de Febrero es que quienes la protagonizaron en las calles fracasaron en el intento de crear su propio gobierno. Los dos órganos que surgieron a partir de ella, el Soviet de Petrogrado y el Comité de la Duma, tenían poco que ver con los insurrectos; éstos continuaron afectando con su actitud el curso de los acontecimientos, pero su influencia ya no fue decisiva; el curso específico de la revolución empezó a estar determinado por otros grupos.

El Soviet de Petrogrado surgió el día 27 por iniciativa de los mencheviques y su objetivo inicial fue el de constituir un centro destinado a la organización y coordinación de las actividades de los rebeldes. Rápidamente se creó un Comité Ejecutivo en el que tuvieron un papel preponderante tres intelectuales socialistas —N. Sukhanov, Y. Steklov y N. D. Sokolov—, quienes fueron los que elaboraron la línea política del Soviet en los primeros días. La misma se centraba en la idea de que debía establecerse un gobierno provisional de carácter burgués, integrado por representantes de los partidos liberales. La base de esta estrategia no residía tanto en la idea marxista de que una revolución democrático-burguesa debía preceder en Rusia a la revolución proletaria para impulsar el desarrollo capitalista sino sobre todo a la convicción de que un poder surgido exclusivamente de las masas insurgentes no tenía probabilidad alguna de sobrevivir, por lo que el único camino para prevenir una guerra civil era expandir la revolución comprometiendo a los grupos liberales.

Sin embargo, esta estrategia fue sometida a dura prueba como consecuencia del notable apoyo que recibió el Soviet por parte de las masas y sus representantes, que no se sentían representadas por los políticos burgueses; la presión realizada para que se transformara en un gobierno revolucionario llevó a los moderados dirigentes a

---

[11] Todos los estudiosos del tema sostienen que la mayor parte de los soldados actuó de manera ambigua, incorporándose a la revuelta cuando el triunfo estaba asegurado.

La emperatriz Alejandra y el príncipe Alexis. La hemofilia que padecía el joven príncipe propiciaba que su madre cuidase constantemente de él.

buscar una negociación directa con los políticos reunidos en el Comité Provisional de la Duma, que se había constituido el mismo día 27, a los efectos de restaurar el orden en la capital como consecuencia de la ausencia de toda autoridad oficial.

Después de una reacción lenta y dubitativa, los acontecimientos de la calle llevaron a los liberales a adoptar posiciones revolucionarias, a pesar de que su intención era la de controlar el rumbo de la misma antes que impulsarla; uno de ellos, Vasilli Shulgin, planteó la cuestión con claridad: «¿Qué íbamos a hacer? ¿Lavarnos las manos? ¿Dejar a Rusia sin gobierno?» El Comité de la Duma se hizo cargo del aparato de gobierno e impulsó una serie de gestiones que culminaron con la abdicación del zar, quien primero pensó en hacerlo en favor de Alexis, su único hijo

A. Kerensky, miembro del primer Gobierno Provisional en calidad de ministro de Justicia.

varón, con la regencia de su hermano el Gran Duque Miguel, pero finalmente se inclinó por abdicar en favor de éste. En estas operaciones intervinieron asimismo algunos de los principales jefes militares, quienes ante la amenaza de la revolución optaron por sacrificar a la monarquía poniendo en primer plano la necesidad de preservar a las fuerzas armadas de la participación en los conflictos internos del país, reservándolas para la lucha contra el enemigo exterior. Actuando de esta manera, delegaban en el nuevo gobierno la tarea de frenar el ímpetu de las masas. Sin embargo, actuaron así porque ignoraban el hecho de que el Soviet de Petrogrado, presionado por los soldados, había aprobado la llamada Orden N.° 1, que planteaba la abolición de las jerarquías militares y subordinaba las fuerzas armadas al poder del Soviet; si bien luego se dio parcialmente marcha atrás, quedó sentado un precedente respecto de la potencialidad revolucionaria de los soldados.

La idea de establecer un Gobierno Provisional, aspiración conjunta de los dirigentes moderados del Soviet y de los liberales reunidos en el Comité de la Duma tropezó con el escollo de que los rebeldes se negaron a entregar todo el poder a un gobierno burgués, y los dirigentes debieron entonces negarle su apoyo incondicional, bajo pena de perder toda credibilidad. Se conformó entonces una situación inédita: un poder dual, en el que las acciones del Gobierno Provisional estaban sometidas a la aprobación del Soviet de Petrogrado.

El programa, destinado a conformar la base de acción del Gobierno, constaba de ocho puntos: 1) Amnistía para todos los presos políticos; 2) Libertad de palabra, asociación, reunión, y reconocimiento del derecho de huelga; 3) Abolición de todo privilegio basado en la nacionalidad, la religión o el origen social; 4) Convocatoria inmediata a una Asamblea Constituyente elegida por sufragio universal, secreto, directo e igualitario; 5) Disolución de todos los órganos policiales, reemplazados por una milicia electa, supervisados por el gobierno local; 6) Nuevas elecciones a los organismos de autogobierno sobre la base del sufragio universal; 7) Compromiso de que los soldados que participaron en la Revolución no iban a ser despojados de sus armas ni enviados al frente; 8) Mantenimiento de la disciplina militar pero reconociendo a los soldados similares derechos a los civiles.

Como se puede apreciar, quedaban afuera dos cuestiones reputadas como decisivas: la conducción de la guerra y la reforma agraria.

La composición del gabinete mostró la presencia de los partidos representados en la Duma —Kadetes, Octubristas, Progresistas—, bajo la presidencia del príncipe Georgii Lvov, un hombre público sin alineación partidista, y con la presencia significativa de un representante del Soviet, Alexander Kerensky, militante del Partido Trudovike, en el cargo de ministro de Justicia. Se trataba de una de las principales figuras del ámbito socialista, vicepresidente del Soviet de Petrogrado cuando éste se constituyó, y su participación en el Gobierno Provisional fue el primer paso hacia su controvertida actuación durante el año 1917[12].

Algunos integrantes del gobierno, incluyendo a Kerensky, fueron los encargados de presionar al Gran Duque Miguel para que no aceptara la corona, con lo que se completó el proceso de destitución del último zar de la dinastía Romanov y el triunfo de una revolución que, iniciada en las calles como consecuencia del descontento de las masas ante los problemas generados por la guerra, culminó con la instalación de un gobierno de corte burgués sometido a control por parte de los trabajadores, campesinos y soldados nucleados en los soviets.

Desde el 23 hasta el 28 de febrero, el foco de la revolución estuvo exclusivamente centrado en Petrogrado; en el resto del país la actividad se desarrollaba con normalidad. La primera ciudad en donde se produjeron reacciones fue en Moscú, donde se declararon huelgas y se realizaron manifestaciones desde el día 28. A partir del 1 de marzo hubo mítines en algunas ciudades de provincia, pero sin que se produjeran hechos de violencia. Puede afirmarse que sólo a partir del 3 de marzo, cuando se publicó la noticia de que Nicolás II había abdicado, la nación en su conjunto se enteró que se había producido una revolución, lo cual trajo como consecuencia un rápido derrumbe de la autoridad. Con rapidez se celebraron «festivales de la libertad», en los que participaba la mayor parte de la población.

A lo largo del mes de marzo, en todas las ciudades surgieron soviets que copiaron el modelo de Petrogrado, y en el que los dirigentes fueron en general intelectuales de origen socialista. El cambio de régimen fue aceptado en todas partes como un hecho consumado; no hubo resistencias ni fue necesario el uso de la fuerza. Puede afirmarse también que no se produjeron enfrentamientos sociales ni persecuciones de origen étnico; en algunas localidades las celebraciones en honor del Gobierno Provisional contaron incluso con la presencia de oficiales zaristas.

Una de las consecuencias hasta cierto punto sorprendentes de la Revolución fue la emergencia de movimientos nacionalistas en territorios donde la población era predominantemente no rusa; los mismos estuvieron liderados por la *intelligentsia* local, los que a las demandas socialistas y libe-

[12] El primer Gobierno Provisional estuvo integrado así: Príncipe G. Lvov (independiente), primer ministro; A. Kerensky (Trudovike), ministro de Justicia; P. Miliukov (Kadete), Relaciones Exteriores; A. Guchkov (octubrista), Guerra y Marina; A. Konovalov (progresista), Comercio e Industria; M. Tereshchenko (independiente), Finanzas; N. Nekrasov (Kadete), Transporte; A. Manuilov (Kadete), Educación; A. Shingarev (Kadete), Agricultura.

rales agregaban sus reclamaciones a favor de cierto grado de autonomía.

Las causas del impulso alcanzado por estos reclamos residen en la debilidad del poder central, incapaz de imponer una autoridad firme en el territorio del antiguo Imperio zarista, pero las aspiraciones nacionalistas en algunas regiones se venían manifestando desde tiempo atrás.

La mayor parte de los súbditos no rusos del Imperio eran campesinos; a pesar de que hablaban lenguas diferentes y con frecuencia eran víctimas de discriminación por parte de los rusos, no canalizaban necesariamente sus agravios bajo reclamos nacionalistas. Su identificación más fuerte era con su religión, su entorno local y su estatus campesino; se sentían cercanos a sus compatriotas, con los que compartían el mismo origen étnico, pero no con el abstracto concepto de nación. En tanto el nacionalismo es una ideología elaborada por sectores intelectuales, se desarrolló en mayor medida en los ámbitos urbanos, caracterizados por el desarrollo de una clase obrera cuantitativamente importante, letrada, en condiciones de desarrollar movimientos políticos significativos, socialistas pero también nacionalistas. En Georgia, Letonia, Estonia y hasta cierto punto en Armenia se verificaron situaciones de este tipo, mientras que en Lituania, Ucrania y Bielorrusia, donde el dominio campesino era abrumador, la conciencia nacional se desarrolló mucho más lentamente. En cuanto a las regiones de religión musulmana, salvo en Azerbaijan en la que existía una presencia urbana pequeña pero significativa, la mayor parte de los súbditos del Asia Central, nómadas o seminómadas, carecían casi totalmente de contacto con la *intelligentsia* y de sentimiento nacionalista.

Este mosaico de realidades determinó que, como veremos, la cuestión nacional se desplegara de diferentes maneras a partir de febrero de 1917.

La Revolución de Febrero en la historiografía

Los acontecimientos de febrero, si bien no en la medida de todo lo que se ha publicado sobre la Revolución de Octubre, han sido sin embargo objeto de un amplio tratamiento por parte de los historiadores, así como también se dispone de una serie de testimonios de algunos de sus participantes más caracterizados.

En una apretada síntesis podemos afirmar que los tres temas que han sido en mayor medida objeto de debate son los siguientes: 1) ¿Cuáles fueron las causas inmediatas de la Revolución? 2) ¿Se trató de una revolución espontánea o hubo por detrás una planificación? 3) ¿Por qué los acontecimientos condujeron al establecimiento de dos centros de poder, resignando los obreros y soldados la posibilidad de hacerse con todo el poder?

Respecto del primer interrogante, existe una amplia coincidencia en la idea de que hubo un acuerdo amplio entre la elite, incluyendo a los altos jefes militares, respecto de la necesidad de destituir a Nicolás II. Mientras que en el desenlace de los acontecimientos de 1905-1906 se terminó sosteniendo al zar, ahora se contaba incluso con la aquiescencia de los aliados para establecer un gobierno que tuviera como base la propuesta del Bloque Progresista. Si a esto sumamos la profunda inquietud social emergente de la pésima conducción administrativa de la guerra, una de cuyas consecuencias fue el desencadenamiento de un incontenible proceso inflacionario, que acompañaba a la escasez de productos esenciales, queda claro por qué puede afirmarse que la Revolución de Febrero terminó siendo una rebelión de la sociedad contra el Estado.

En relación con el interrogante planteado respecto de la espontaneidad o no de la protesta obrera que condujo a la Revolución, la visión más aceptada es la que sostiene que las primeras manifestaciones de descontento fueron el resultado de la enorme disconformidad existente entre los trabajadores como consecuencia de las privaciones a que estaban siendo sometidos como consecuencia de la guerra, pero sobre todo del pésimo manejo de la misma por parte del gobierno. Una vez iniciadas las movilizaciones, puede verificarse la aparición de algunos dirigentes dispuestos a encarrilar el proceso, teniendo en cuenta además el hecho de que ya en los años inmediatamente anteriores a la guerra se había producido el surgimiento de una «nueva» clase obrera, mucho más combativa, participante del proceso de industrialización en marcha. Llamada inicialmente a silencio como consecuencia de la guerra, estos militantes radicales reaparecieron durante los acontecimientos de febrero.

Una interpretación diferente de los hechos que condujeron a la caída de una monarquía que tenía más de cuatro siglos de existencia es la que sostiene que existió una presencia alemana en toda la operación, que obliga a excluir toda referencia a la espontaneidad de la acción de las masas, cuya protesta habría sido utilizada como elemento acelerador de un proceso que estaba en marcha.

Finalmente, cabe hacer referencia al tema de las razones por las que se produjo la emergencia de la situación de «doble poder». Aquí destacan las críticas que se han formulado a quienes, los dirigentes de los partidos socialistas, habiendo tenido la oportunidad de tomar el poder optaron por entregarlo a los políticos burgueses que conformaron el Gobierno Provisional. Las razones esgrimidas, la desconfianza que generaban las masas, tiende plausiblemente a ser superada por la que sostiene que en ese momento histórico la dirigencia estaba convencida de que no era el momento de acceder al poder, sino que era necesario facilitar las cosas como para que se consolidara un gobierno de carácter democrático-burgués que realizara las tareas pendientes de modernización capitalista.

Los fracasos del Gobierno Provisional y la radicalización política

La instalación del «doble poder» aparecía como una experiencia inédita y fuertemente inestable. Por una parte, se había producido una revolución política con el derrocamiento de una monarquía que tenía más de cuatro siglos de existencia; por otra, en el terreno económico-social la situación no había experimentado modificaciones: quienes pasaron a formar parte del Gobierno Provisional eran integrantes de una burguesía débil, incapaz por sí sola de llevar adelante la dura tarea de gobernar en las condiciones que se presentaban en febrero de 1917. Por tanto, resultaba hasta cierto punto natural el hecho de establecer alguna forma de cogobierno con las agrupaciones socialistas dispuestas a poner en marcha y fortalecer un régimen democrático. En ese aspecto, más allá de sus extrañas características, la existencia de esta forma de «doble poder» era explicable. Los problemas emergían como consecuencia de dos circunstancias: en primer término, en la dirigencia del Soviet no había coincidencia respecto de cuestiones esenciales como la permanencia o no en la guerra, pero además los dirigentes se enfrentaban con un sector de la militancia fuertemente radicalizada que presionaba por soluciones inmediatas a problemas que exigían negociaciones consensuadas. Estas razones, sumadas a la incapacidad (y en algunos casos intransigencia) demostrada por el Gobierno Provisional para resolver los problemas inmediatos, hicieron de la experiencia del «doble poder» una realidad profundamente inestable.

Pero esa realidad todavía no había emergido en las primeras semanas; a la espera de las medidas concretas del gobierno, los trabajadores otorgaron una tregua disminuyendo fuertemente el número de obreros en huelga, aunque no sus exigencias en relación con la situación laboral. Las demandas de democratización de las fábricas tomaron diferentes formas: pedido de despido para los supervisores y capataces más odiados por los obreros; abolición del uso de los libros de reglas de las fábricas, que con frecuencia incluían castigos humillantes, y, lo más

importante, creación de comités de trabajadores destinados a representar sus intereses ante la empresa. La presencia en el gabinete como ministro de Comercio e Industria de A. I. Konovalov, un representante de los intereses empresariales partidario de la búsqueda de acuerdos con los trabajadores, facilitó el establecimiento inicial de disposiciones que mejoraran los salarios y disminuyeran las horas de trabajo. Sin embargo, la continuidad de los problemas de abastecimiento, la persistencia de la inflación y la falta de resolución del tema de la guerra determinaron que a partir de mayo las huelgas comenzaran una escalada imparable hasta septiembre.

Las tareas que debía abordar el Gobierno Provisional no eran nada fáciles de concretar y su respuesta inicial se concentró en legislar sobre las cuestiones vinculadas con la democratización de la sociedad: algunas leyes estaban destinadas a rectificar abusos del zarismo y otras orientadas a cumplir con el programa que se había pactado. En la medida en que rápidamente se manifestaron en su apoyo las clases dominantes (incluyendo miembros de la aristocracia) y amplios sectores de las clases medias y de la burocracia, sus integrantes se sintieron fuertes como para postergar inicialmente las decisiones en tres temas fundamentales: reforma agraria, convocatoria a la Asamblea Constituyente y actitud a adoptar frente a la guerra.

Mientras tanto, la sociedad experimentaba las primeras manifestaciones de una libertad inédita; como muy poco después afirmó Lenin, Rusia se convirtió en «el país más libre del mundo». El entusiasmo de la multitud se manifestó tanto en la destrucción de los símbolos del zarismo como en el establecimiento de una nueva realidad social en la que las jerarquías tradicionales desaparecieron reemplazadas por una tendencia a la igualación que hacía de todo el pueblo ruso un conjunto de «ciudadanos»; por primera vez parecía que el Imperio Ruso estaba unido. Con la libertad de prensa y asociación asegurada por ley, los flamantes ciudadanos rusos se sintieron en condiciones de resolver exitosamente y en poco tiempo todos sus problemas, algunos, tal cual se ha visto, de tiempo antiguo.

Se ha dicho con justeza que es imposible imaginar la Rusia de 1917 sin la prensa, que tuvo un papel particularmente significativo en las luchas políticas. Es cierto que los periódicos se demoraban en llegar al frente y a las aldeas más remotas, y también que un alto porcentaje de la población —sin duda la mayor parte en el campo— era analfabeta. Pero también lo es que los acontecimientos principales de la Revolución se llevaron a cabo en las ciudades, y allí los que sabían leer eran mayoría. Por tanto, los periódicos fueron protagonistas de los acontecimientos: a pesar de que escaseaba el papel y las imprentas eran insuficientes, muchos periódicos y publicaciones hicieron su aparición aprovechando la amplitud de la libertad de prensa. Todas las cuestiones importantes se dirimieron «en el papel», y esta difusión contribuyó a la generalizada politización que caracterizó ese momento histórico.

A pesar del nuevo clima que surgió tras la caída del zar, las circunstancias eran difíciles en extremo y en poco tiempo el choque con la realidad hizo desaparecer el optimismo inicial; la «luna de miel» no duró y las diferencias afloraron con vigor.

A los partidos socialistas el desenlace de la Revolución de Febrero los puso frente a una situación difícil, que obligaba a definir su línea política frente a una realidad compleja. En un principio, hubo un acuerdo generalizado respecto a la necesidad de apoyar al Gobierno Provisional; la concepción que apuntalaba esta postura se encontraba en el mismo pensamiento de Marx, que en sus escritos más conocidos sostenía la idea de que el tránsito al socialismo sólo podía producirse en aquella sociedad en la cual se hubieran agotado las posibilidades de desarrollo de las fuerzas productivas; cuando éstas alcanzaran sus límites entrando en contradicción con las relaciones de producción se abriría la posibilidad del triunfo de la Revolución. Por tanto, desde esta perspectiva, Rusia tenía por delante un período de consolidación del capitalismo, de asentamiento de un régimen democrático burgués, pasando los partidos de izquierda a convertirse en la oposición legal del nuevo régimen político.

Dirigentes bolcheviques, mencheviques y socialistas revolucionarios, si bien con variantes, coincidieron aproximadamente en la estrategia a desarrollar, y esta coincidencia se extendió hasta el punto de plantearse la posibilidad de una reunificación del Partido Socialdemócrata, superando las antiguas diferencias entre mencheviques y bolcheviques. Otra cosa era lo que ocurría en los escalones inferiores de la militancia, en los que los planteamientos iban más allá, reclamando todo el poder para los soviets. En esos momentos se produjo el retorno de Lenin a Rusia, circunstancia que dio lugar a un cambio crucial en la estrategia de los bolcheviques.

El retorno de Lenin y el nuevo rumbo de los bolcheviques

Exiliado en Suiza desde principios de la guerra, la reacción inicial de Lenin ante la noticia de la caída del zarismo fue de sorpresa; aunque había pronosticado la emergencia de una nueva oleada revolucionaria no imaginaba que ésta pudiera surgir tan pronto, y sobre todo con un éxito tan fulminante. Los festejos entre los rusos instalados en Zurich tuvieron la espontaneidad de lo inesperado.

Una vez pasada la euforia del primer momento, y pertrechado con nuevos argumentos para afrontar el futuro inmediato, la preocupación inmediata del líder bolchevique pasó a ser la manera de llegar lo más rápidamente posible a Petrogrado. Se trataba de una operación dificultosa en extremo, dado que tenía que atravesar media Europa, incluyendo territorio del enemigo alemán. La historia de ese viaje ha dado lugar a numerosas especulaciones, las que se elaboraron desde el mismo momento de su arribo y se prolongaron hasta las investigaciones más recientes. No obstante, en la actualidad la explicación parece clara.

Ante la necesidad de tomar contacto con Alemania como único camino para llegar al escenario de la revolución, la circunstancia que favorecía cualquier tipo de negociación residía en que las conocidas ideas derrotistas de Lenin sobre la guerra, manifestadas desde el principio del conflicto, coincidían en ese momento con las expectativas de las autoridades del Reich, para quienes una paz separada con Rusia les iba a permitir trasladar todo su esfuerzo militar al frente occidental a los efectos de intentar desequilibrar la guerra en su beneficio.

A partir de esa evaluación de la coyuntura, evidentemente pasaba a segundo plano para los alemanes el hecho de que Lenin también llamara a una revolución mundial. Por tanto, estaban dadas las condiciones como para que una solicitud del líder bolchevique de permitir su paso por Alemania en camino hacia Rusia tuviera una acogida favorable.

El caso es que la gestión iniciada por Lenin a través de un antiguo contacto tuvo esta respuesta del gobierno alemán: «No se debe oponer ningún reparo al tránsito de los rusos revolucionarios si se efectúa en un tren especial con escolta de confianza.» El dirigente bolchevique se manifestó preocupado por las repercusiones de una operación tan extraña, que podía ser perfectamente interpretada (y lo fue) como una colaboración con el enemigo; por esta razón insistió en que el tren gozara de un estatus de extraterritorialidad, manteniéndose sus ocupantes aislados sin tomar contacto con los alemanes.

El viaje se realizó en un tren precintado y llevó en un par de etapas a dos docenas de revolucionarios rusos —no todos bolcheviques— a través de Alemania, hasta depositarlos en el puerto de Sassnitz, desde donde embarcaron hacia Suecia, y a partir de allí en tren a Petrogrado, pasando por Finlandia. En total, tardaron siete días en llegar. Cabe comentar que entre los viajeros se encontraban dirigentes importantes como Zinoviev y Karl Radek, y hasta el importante líder menchevique Israel Martov.

Mientras se realizaban los requisitos para este viaje, Lenin fue comunicándose con los dirigentes bolcheviques instalados en Rusia transmitiendo su visión de la realidad, que en esos momentos ya apuntaba de manera inequívoca hacia el enfrentamiento con el gobierno provisional y el establecimiento de un gobierno de los soviets. La radicalidad de sus posiciones, claramente diferenciadas respecto de las de los cuadros que estaban en Petrogrado, determinó que varios de sus escritos —las llamadas «Cartas desde lejos»—no fueran publicados por *Pravda*, o que lo fueran luego de ser suprimidos los párrafos más duros contra el gobierno. En ellas ya aparecía con claridad la consigna que iba a levantar apenas llegara a Rusia: «La única garantía de la libertad y de la destrucción completa del zarismo es armar al proletariado, consolidar, extender, desarrollar el papel, la importancia y la fuerza del Soviet de diputados obreros.»

Existe un testimonio cinematográfico del arribo de Lenin a la estación ferroviaria de Finlandia en Petrogrado, la noche del 3 de abril de 1917. Una multitud de militantes —en ese día se clausuraban las sesiones de la Conferencia de los Bolcheviques de Rusia— y una delegación oficial del Soviet cumplieron con un rito que ya

era habitual: recibir con todos los honores a los dirigentes que venían del exilio. Además, muchos se hacían presentes porque habitualmente se distribuía cerveza gratis. En esta ocasión le tocó a Chjeidze —dirigente menchevique que en esos momentos presidía el Soviet de Petrogrado— pronunciar el discurso de bienvenida; sus palabras resumieron una de las posturas dominantes del momento: era preciso llevar adelante «la defensa de nuestra revolución contra cualquier tentativa enemiga, tanto del interior como del exterior». Lenin, que se había mostrado nervioso y molesto durante todo el acto, contestó de manera rotunda: «Despunta la aurora de la revolución mundial. De un momento a otro cabe esperar el derrumbe de todo el imperialismo. ¡Viva la revolución socialista mundial!»

De cualquier manera, lo ocurrido en la estación de Finlandia era una ceremonia hasta cierto punto protocolaria, en la que lo que allí se decía no tenía demasiado impacto. Al día siguiente, ya en plena actividad, Lenin tuvo oportunidad de exponer en detalle el núcleo de su argumentación en tres reuniones sucesivas. La más importante fue la última, celebrada en el Palacio de Táuride, una reunión destinada a negociar la unidad entre bolcheviques y mencheviques, dado que en ese momento el intento parecía plausible. Lenin encontró allí la ocasión adecuada para dar a conocer las posturas que venía desarrollando: después de haberse producido la «primera» etapa de la Revolución, que dio el poder a la burguesía, llamó a una «segunda» revolución, que transfiriera el poder a la clase obrera y al sector más pobre del campesinado. Era la primera formulación explícita de las llamadas *Tesis de Abril* —el nombre exacto de la propuesta de Lenin es *Las Tareas del Proletariado en Nuestra Revolución*— en las que una de las premisas del marxismo, la que sostenía que la revolución sólo podía estallar en un país capitalista desarrollado, quedaba superada en nombre de una idea que no estaba sin duda lejana al concepto de «revolución permanente» que había elaborado Trotski unos años antes.

Después de la fracasada reunión de unificación, la situación de Lenin se tornó muy difícil dentro de su mismo partido, pero a la hora de la realización a mediados de abril de la VII Conferencia del Partido —que ya llevaba el agregado de «bolchevique» entre paréntesis— su capacidad de operación política le permitió contar con una mayoría que respaldó la consigna de transferencia del poder a los soviets. La manera en la que presentó su programa fue tan hábil como para que los sectores moderados del partido sintieran que el proceso de «educación» de la clase obrera al que hacía referencia, que llevaría finalmente a la toma del poder, resultara algo bastante parecido a la aceptación de una etapa democrático-burguesa previa a la revolución proletaria. A su vez, los sectores más radicales estuvieron convencidos de que el líder compartía su impaciencia respecto a la necesidad de operar con rapidez para concretar la toma del poder. En esos momentos, tras haber manifestado en varias ocasiones su oposición a Lenin, Stalin terminó votando en su favor, acción que le colocó en primera línea ante el líder.

Las *Tesis de Abril* y su exposición posterior en el Informe presentado en la VII Conferencia del Partido Bolchevique se pronunciaban asimismo sobre otros temas cruciales: 1) la confiscación inmediata de las tierras de los terratenientes y su entrega inmediata a los campesinos para su puesta en cultivo, dentro de una estrategia general en la que el objetivo era «la nacionalización de todas las tierras, es decir, que todas las tierras del país pasen a ser propiedad del poder central del Estado»; 2) en la cuestión nacional, planteó que se debía defender «la proclamación y la realización inmediata de la plena libertad de separarse de Rusia para todas las naciones»; 3) la demanda al Gobierno de una «paz sin anexiones ni indemnizaciones»[13].

Justifica un párrafo la postura adoptada en relación con la tierra, ya que la misma expresa la disposición de Lenin a buscar el apoyo inmediato de los campesinos, cuyas aspiraciones mayores eran las de transformarse en propietarios o incrementar su dotación de tierras si ya disponían de ella. De esta manera, el líder bolchevique se apartaba de las concepciones marxistas, que planteaban la cuestión en términos revolucionarios apuntando a la colectivización de la tierra.

---

[13] Este planteamiento no procede de las *Tesis de Abril,* en las que se seguía insistiendo en la idea de transformar la guerra internacional en una guerra civil, sino que es resultado de un viraje posterior.

La crisis de abril

El vuelco de los bolcheviques hacia las posturas de Lenin se vio reforzado por el hecho de que en esos días el Gobierno Provisional experimentó su primera crisis seria, originada en la nota secreta enviada por Miliukov, el ministro de Relaciones Exteriores, a los integrantes de la Entente, en la que confirmaba la decisión del gabinete presidido por Lvov de continuar en la guerra; la misma finalizaba así: «(...) El Gobierno Provisional, asumiendo la protección de los derechos de nuestro país, cumplirá con las obligaciones contraídas con nuestros aliados.» En el pensamiento del ministro, la permanencia en la guerra hasta la derrota de Alemania le iba a permitir a Rusia ocupar Constantinopla y los estrechos de Bósforo y de los Dardanelos, prometidos por los tratados secretos firmados con los otros países de la Entente.

Lenin lanzando proclamas revolucionarias.

La actitud adoptada por Miliukov ponía al descubierto las diferencias existentes en este tema entre los integrantes del Gobierno Provisional, pero también y sobre todo en el Soviet de Petrogrado. Ya desde los primeros días después de la caída del zarismo, desde el Soviet se había lanzado la idea de lanzar un llamamiento a los partidos socialistas de todos los países en guerra para que forzaran a sus gobiernos a que firmaran la paz, y esta apelación se efectuó el 14 de marzo, pero no fue acompañada de otros hechos concretos destinados a que la iniciativa pudiera tener éxito.

La estrategia del Soviet se orientó entonces hacia la adopción de la estrategia elaborada por los llamados «defensistas», dirigentes mencheviques encabezados por Irakli Tsereteli, que sostenían la necesidad de coordinar con el Gobierno Provisional una serie de medidas destinadas a combinar el apoyo a la acción militar destinado a objetivos defensivos con el impulso a la realización de gestiones destinadas a alcanzar una paz negociada. Quedaron desplazadas entonces las posiciones «internacionalistas», lideradas por el prestigioso dirigente menchevique I. O. Martov, que definían la guerra como imperialista y demandaban la intervención de la Segunda Internacional para imponer una paz universal a los gobiernos de las potencias participantes.

Frente a estas posturas, la idea radical de los bolcheviques, que intentaba capitalizar el creciente rechazo a la guerra, era todavía minoritaria.

Cuando se filtró la nota de Miliukov a la prensa, la reacción de las masas en la calle condujo a una seria crisis de gobierno, a la renuncia del ministro y al incremento del número de descontentos con el rumbo de los acontecimientos, vigorizando así las posiciones de quienes levantaban como bandera el derrocamiento del «gobierno burgués». La situación en la retaguardia, por su parte, era un reflejo de lo que sentían los soldados en el frente, completamente agotados por una guerra destructiva en la que habían llevado la peor parte, pero además inquietos por lo que estaba sucediendo en el terreno político; la pregunta que se hacían muchos era por demás pertinente: «¿Por qué morir justo ahora, cuando una vida nueva y más libre está naciendo?»

La resolución de la crisis fue de enorme significación, ya que para integrar el nuevo gobierno, que inició su gestión a principios de mayo, fueron convocados cinco socialistas, incluyendo dos mencheviques, un socialista revolucionario y el mismo Kerensky, que fue encargado del Ministerio de la Guerra[14]. La decisión de los partidos socialistas de participar en las tareas de gobierno resultó a la postre un tremendo error, ya que les quitó autoridad para ganarse el apoyo de los afectados por una situación en constante deterioro. La justificación de esta política consistía en sostener que de esta manera se ayudaba a crear las condiciones de paz social y disciplina necesarias para que el pueblo se expresara libremente en la Asamblea Constituyente. Pero para los militantes la situación de ver a representantes de los partidos revolucionarios en el gobierno producía perplejidad y llamaba a formular por lo menos dos preguntas difíciles de contestar: si desde febrero Rusia tenía un gobierno provisional «burgués» que los trabajadores controlaban a través de los soviets, ¿por qué éstos no tomaban «todo el poder»?, y si además los socialistas calificaban la guerra de «imperialista», ¿por qué no se retiraba Rusia de la misma?

Sin embargo, la posición gubernamental no se modificó...

La ofensiva de junio

Una de las estrategias pergeñadas por el Gobierno Provisional destinadas a enfrentar la conflictiva realidad fue la de intentar obtener una victoria militar importante, que le permitiera ganar apoyo en la sociedad. La idea que apuntalaba esta política era la de pensar que para los rusos era una cuestión muy distinta participar de una guerra declarada por el zarismo que hacerlo respondiendo a las directivas de un gobierno revolucionario, teóricamente expresión de la voluntad de un pueblo que quería dejar atrás el pasado reciente. Además, algunos suponían que ninguno de los bandos en pugna iba a tomar en serio las propuestas de paz rusas si antes la «armada revolucionaria» no mostraba su valor.

El recién designado ministro Kerensky, defensor de esta última postura, se empeñó en realizar un largo (e inútil) recorrido por los frentes de batalla

[14] Este gabinete de coalición estaba integrado por: Lvov, primer ministro; Kerensky, ministro de la Guerra y Marina; M. Tereshchenko, Relaciones Exteriores; Nekrasov, Transporte; G.Tsereteli (menchevique), Correos Telégrafos; Chernov (socialista revolucionario), Agricultura; P. Pereverzev (Trudovike), Justicia; Manuilov, Educación; Konovalov, Comercio e Industria; Shingarev, Finanzas; M. Skobelev (menchevique), Trabajo; V. Peshekhonov (socialista popular), Alimentos.

tratando de generar entusiasmo entre los soldados. La reacción de las tropas fue ampliamente negativa, llegando algunos oradores a solicitar resoluciones condenando la idea de una nueva ofensiva, contradiciendo a los dirigentes mismos del Soviet. En ese escenario caracterizado por la creciente disconformidad respecto del comportamiento de los líderes de los partidos socialistas asociados en la gestión al Gobierno Provisional, fueron ganando audiencia las consignas surgidas de las «Tesis de abril»: los militantes bolcheviques no sólo impulsaron declaraciones en contra de la guerra sino también acusaron a los dirigentes del Comité Ejecutivo del Soviet de traicionar a los obreros y campesinos apoyando al Gobierno Provisional «capitalista» y a la «guerra imperialista». De esta manera, la acción del Partido Bolchevique reforzaba las aspiraciones de los soldados de terminar con la guerra y marchar a sus casas.

A medida que se aproximaba la fecha de las operaciones militares a realizarse en la región de Galitzia, por un lado se aceleraban los preparativos, incluyendo la concentración de armamento de gran calibre en el lugar donde se iba a iniciar la ofensiva, pero por otro se hacía oír la disconformidad de amplios grupos de soldados, a pesar del esfuerzo realizado por los enviados del gobierno. Iniciadas las operaciones el 16 de junio con intensos bombardeos de la artillería pesada, el avance posterior de la infantería se vio frustrado porque después del impulso inicial muchos soldados se negaron a seguir avanzando, algunos huyeron ante los primeros disparos enemigos y otros ni siquiera comenzaron a

pelear. Cuando a principios de julio se produjo el despliegue de una fuerte contraofensiva alemana, «la mayor parte de las unidades estaban en una situación de completa desorganización, negándose a cumplir las órdenes impartidas por los oficiales»; el telegrama enviado desde el frente por los comisarios del Gobierno Provisional era así de elocuente respecto de lo ocurrido. El ejército ruso, que formalmente siguió en la guerra, sin embargo dejó de existir como una organización en condiciones de luchar; se convirtió en una fuente permanente de intranquilidad social y política.

Los días de julio

Los acontecimientos del frente tuvieron su contrapartida en la retaguardia, produciéndose en Petrogrado un fracasado alzamiento impulsado por los bolcheviques que estuvo a punto de acabar con la existencia del partido.

La actuación del partido de Lenin había sido hasta ese momento muy limitada: el parapetarse tras las *Tesis de abril* no condujo inicialmente a un incremento de su presencia entre los trabajadores y los campesinos. En el Congreso de los Soviets de Campesinos realizado a principios de mayo sólo 14 de los 1.115 delegados era de filiación bolchevique, y en el I Congreso Nacional de Soviets celebrado en junio, de 777 delegados que hicieron pública su afiliación partidista (sobre un total de 1.090), 105 se declararon bolcheviques, frente a 285 socialistas revolucionarios, 248 mencheviques (y 32 mencheviques «internacionalistas»). Fue en esa ocasión cuando Lenin, ante la sorna del audi-

Manifestación bolchevique en contra del Gobierno de Kerensky.

torio, respondió a una afirmación de Tsereteli, ministro de Correos, respecto de que no existían partidos que se plantearan el objetivo de la toma del poder, sosteniendo que ese partido existía, y era el Partido Bolchevique («¡Estamos dispuestos a tomar el poder de inmediato!»).

En efecto: en las calles, las fábricas y entre los soldados, la situación estaba evolucionando en un sentido favorable a los bolcheviques, ya que estuvo en condiciones de capitalizar en su favor el creciente descontento que provocaba la situación política y económica, en la medida que, como se ha comentado, el resto de los partidos socialistas tenía sus representantes en el Gobierno Provisional y por tanto estaban limitados en su acción crítica.

Sin embargo, contra lo que en general se ha afirmado, el Partido Bolchevique no constituía un grupo homogéneo, alineado obedientemente tras sus dirigentes. En el período comprendido entre abril y junio la adhesión al partido se incrementó notablemente reclutando a los descontentos con la actitud del Gobierno Provisional. Se trataba en general de miles de obreros impacientes que poco o nada sabían de marxismo y menos aún de disciplina partidista, lo que se constituyó en un problema para el Comité Central, hasta ese momento tan celoso en el reclutamiento de militantes. Habría que agregar que en esos días se produjo también el acercamiento al Partido Bolchevique de León Trotski, uno de los más brillantes dirigentes socialistas, dando comienzo a una actuación junto a Lenin que lo convirtió en una de las personalidades más destacadas de la Revolución[15].

Durante el mes de junio, los líderes del sector radicalizado de los bolcheviques planearon una operación en la capital destinada a la toma del poder, la que fue neutralizada en el último momento por Lenin, defendiendo la idea de que se trataba de una maniobra prematura. Evidentemente, dentro del partido había sectores instalados sobre todo en el Comité Bolchevique de Petrogrado y en la organización militar bolchevique que, tomando al pie de la letra lo sostenido por Lenin en las «Tesis de abril», consideraban que había llegado el momento de intentar derrocar al Gobierno Provisional. Y ese momento llegó a principios de julio...

---

[15] Trotski había formado parte del sector menchevique cuando se produjo el enfrentamiento de 1903, y si bien con posterioridad fue también crítico de sus posturas, tuvo a lo largo de los años duros enfrentamientos con Lenin. Cuando se produjo la Revolución de Febrero, Trotski estaba en Nueva York y marchó inmediatamente hacia Rusia, llegando a Petrogrado el 17 de mayo. Inicialmente se incorporó al llamado Bloque Interdistritos, que intentaba sostener una posición intermedia entre bolcheviques y mencheviques.

El punto de partida de todo el proceso lo constituyó la reacción de los soldados del Primer Regimiento de Ametralladoras, temerosos de ser enviados al frente para participar en la ofensiva militar. Su llamamiento a una insurrección en contra del Gobierno Provisional encontró apoyos en otros soldados y también entre los obreros, fuertemente afectados por el deterioro de la situación económica.

Los sucesos que se produjeron en la capital del 3 al 6 de julio han dado lugar a numerosas interpretaciones contrapuestas: ¿fue un intento de «golpe» fallido o se trató de una manifestación que desbordó las expectativas y consignas de quienes la convocaron? Los hechos concretos fueron que, impulsados por la presencia de soldados provenientes de la guarnición de la capital, marineros de la base de Kronstadt y obreros, bolcheviques pero también anarquistas[16], se produjeron multitudinarias manifestaciones encabezadas por pancartas en contra del Gobierno Provisional y a favor de la transferencia del poder a los soviets. La presión sobre los dirigentes mencheviques y socialistas revolucionarios fue enorme pero éstos resistieron[17]; en las calles hubo enfrentamientos que preanunciaban una guerra civil. Si hubo preparación previa por parte de los bolcheviques, la misma no se manifestó en manera alguna por medio de órdenes precisas que orientaran la insurrección; los grupos radicalizados parecieron actuar de manera relativamente independiente respecto de la dirigencia; el rol del mismo Lenin en el proceso fue secundario. El testimonio de Stalin parece confirmar esta situación, ya que afirma que el Comité Central se limitó a aprobar la realización de un acto pacífico. Carentes de dirección, la amenaza de la llegada de tropas para reprimir, sumada a las dimensiones de los enfrentamientos, que produjeron alrededor de 400 muertos, terminaron por desalentar a los sublevados.

No existe sin embargo consenso entre los historiadores respecto de las características de la participación bolchevique: frente a una amplia corriente que avala la idea que sostiene Stalin, desde el ámbito de la historiografía conservadora se afirma que la posibilidad de intentar la toma del poder estaba latente en la dirigencia, y que la indecisión de Lenin en el último momento fue lo que produjo el fracaso.

El desencadenamiento de estos acontecimientos fue acompañado por la decisión del gobierno de denunciar públicamente las actividades de los bolcheviques, acusados de recibir ayuda financiera de los alemanes. Se

---

[16] Las tendencias anarquistas se manifestaron en Rusia desde las últimas décadas del siglo XIX participando de la oposición al zarismo, y sus ideas alcanzaron cierta difusión entre los exiliados rusos en Europa occidental. Los grupos anarquistas tuvieron una pequeña pero significativa actuación en las revoluciones de 1905 y 1917 y en la Guerra Civil, alcanzando importancia sobre todo en Ucrania. El régimen bolchevique acabó con ellos, actuando con extremada dureza, a principios de la década de 1920, constituyendo las primeras víctimas de izquierda de la represión.

[17] Es conocida la anécdota del obrero que se abalanzó sobre el dirigente socialista revolucionario Victor Chernov diciéndole: «Toma el poder cuando se te ofrece, h. de p....».

concretaba así en forma oficial lo que circulaba como rumor en distintos ámbitos desde el viaje de retorno de Lenin; ahora era utilizado por Kerensky para intentar acabar con el más importante peligro proveniente de la izquierda. La difusión de esta noticia contribuyó sin duda a desprestigiar a los bolcheviques y algunos dirigentes, Lenin incluido, se vieron obligados a huir para no ser encarcelados.

Pero además la gravedad de los acontecimientos de la calle dio lugar a que el gobierno, culpando también a los bolcheviques de haber contribuido al desastre militar, intentara incrementar su postura represiva. Coincidiendo con las movilizaciones populares se había producido una crisis de gabinete originada en los problemas suscitados por las demandas de autonomía reclamadas desde Ucrania[18], que concluyó con la salida de los ministros pertenecientes al Partido Kadete y el incremento de la presencia de los representantes mencheviques y socialistas revolucionarios —hasta el número de nueve ministros sobre un total de quince—, con la novedad adicional de que ante la renuncia del príncipe Lvov, Kerensky fue designado jefe de Gobierno. Parecía que la reacción de la derecha se afirmaba desde el gobierno.

La cuestión nacional

Las primeras resoluciones del Gobierno Provisional en relación con las cuestiones vinculadas con los pueblos no rusos fueron de cautelosa apertura: se abolió toda la legislación restrictiva impuesta por el zarismo sobre las minorías y se estableció la igualdad de todos los ciudadanos con independencia de su religión, raza u origen étnico. Asimismo, se dieron los primeros pasos hacia formas de autogobierno al nombrar a figuras locales para ejercer la administración de esos territorios.

El objetivo gubernamental era claro: se consideraba a sí mismo una autoridad temporal cuya principal función en esta cuestión era la de preservar la unidad hasta que los ciudadanos tuvieran ocasión de expresarse por medio de sus representantes en la futura Asamblea Constituyente. Por esta razón, el Gobierno Provisional resistió cuanto pudo todas las presiones destinadas a legislar afectando la conformación del Estado, en la medida que las consideraba violatorias de la soberanía popular.

Tiende en general a afirmar que a la hora del estallido de la Revolución de Febrero existían ocho nacionalidades principales dentro del Imperio Ruso, si exceptuamos a los polacos y los finlandeses: Lituania, Letonia, Estonia, Armenia, Georgia, Azerbaiján, Ucrania y Bielorrusia.

La principal reacción de orientación nacionalista se produjo en Ucrania. Cuando a principios de marzo se produjo la llegada de las primeras noticias de lo ocurrido en Petrogrado, los ucranianos dieron los primeros pasos para organizarse, lo que culminó con la creación del Consejo Central Ucraniano, usualmente denominado

---

[18] Ver más adelante.

Rada, que rápidamente se convirtió en el supremo órgano político de Ucrania. Dentro de la misma se produjo el control por parte de tres partidos: el Partido Socialdemócrata Ucraniano, el Socialista Revolucionario y el Socialista-Federalista. El programa inicial era la fusión de nacionalismo y un socialismo moderado; la síntesis podía extraerse del eslogan inscrito en la sala de reuniones de la Rada: «Larga vida a Ucrania autónoma dentro de una Federación Rusa».

Para ampliar su base de apoyo, la Rada convocó un Congreso Nacional Ucraniano en el que participaron un gran número de organizaciones culturales, políticas y profesionales. Las demandas que surgieron del mismo, así como de otros ámbitos de discusión, eran similares: concesión de autonomía nacional a Ucrania dentro de un estado federal; reconocimiento de la Rada como órgano de gobierno; uso del ucraniano como lengua en las escuelas, instituciones oficiales, etcétera; organización de unidades militares compuestas exclusivamente por ucranianos; convocatoria a una Asamblea Constituyente Ucraniana.

Envalentonados por el amplio aval recibido, la Rada envió en mayo una delegación a Petrogrado con el objeto de obtener el apoyo del Gobierno Provisional y de los soviets en el tema de la autonomía y en el reconocimiento del papel político de la Rada. La negativa respuesta recibida —el Gobierno Provisional derivó sus demandas a una comisión jurídica y denegó la autorización a la Rada para hablar en nombre de Ucrania— radicalizó las posiciones nacionalistas enconando los enfrentamientos. Desde Petrogrado, los ataques se sucedieron y el órgano periodístico del Partido Kadete llegó a afirmar que se estaba ante una nueva etapa del plan alemán destinado a desmembrar Rusia.

Alarmados por la evolución de la situación, una delegación del Gobierno Provisional, de la cual formaba parte Kerensky, marchó hacia Kiev y llegó trabajosamente a un acuerdo por el que se concedía a la Rada autoridad administrativa, aunque todo quedaba sujeto a la decisión de la Asamblea Constituyente. El conocimiento del arreglo en la capital condujo, como se ha comentado, a la renuncia de los ministros del Partido Kadete a principios de julio, y a partir de ese momento las relaciones entre la Rada y el Gobierno Provisional no hicieron más que deteriorarse, aunque existe casi coincidencia unánime entre los especialistas en el tema respecto de que las demandas ucranianas no iban en general más allá de la concesión de una amplia autonomía; sólo las dimensiones de la crisis condujeron a que se incrementaran las posturas a favor de la separación.

En Bielorrusia la situación fue mucho más clara, ya que, al producirse la caída del zarismo, el movimiento nacionalista era minoritario, sin una presencia importante entre los campesinos, por lo que la vida política estuvo dominada a partir de mediados de año por los bolcheviques, vigorizados por la presencia allí de gran cantidad de soldados que luchaban en el frente contra los Potencias Centrales. Si bien los nacionalistas se organizaron creando la Rada de Bielorrusia, su repercusión en la sociedad fue extremadamente limitada.

A principios de 1917, Lituania estaba ocupada por los alemanes, por lo que el impacto de lo ocurrido en Rusia se hizo sentir sobre todo en Estonia y Letonia. La región báltica estaba en general poblada por campesinos de una nacionalidad y clases media y alta de otra: tanto en Estonia como en Letonia nobles de origen alemán dominaban en las áreas rurales habitadas por estonios y letones. Durante los años de «rusificación» fue cuando se verificó la emergencia de una cultura y una sociedad civil en ambas regiones. El hecho de que hubiera un crecimiento urbano facilitó la conformación de una clase media y una *intelligentsia* en condiciones de desafiar la hegemonía política de los sectores de origen alemán. El nacionalismo, sobre todo en Estonia, planteó la cuestión en términos de la reivindicación de una «nación cultural», aspirando en principio a la concesión de autonomía y no al establecimiento de un estado independiente. El desarrollo político planteado por la *intelligentsia*, a su vez, se orientaba en dos direcciones: un sector liberal y reformista y otro de carácter socialista.

Si en Estonia la situación era compleja, sin el dominio claro de alguna corriente, en Letonia la orientación bolchevique se impuso desde un principio por medio de la creación de soviets de obreros y campesinos, controlando progresivamente al resto de las instituciones. Los bolcheviques unificaron los reclamos sociales y étnicos de las clases subalternas, permitiendo la creación de una república independiente después de la Revolución de Octubre, la que subsistió hasta la ocupación del territorio por parte de las tropas alemanas en febrero de 1918.

La región de Transcaucasia, un istmo situado entre el mar Negro y el Caspio, estaba poblada por tres etnias principales: los georgianos en el norte y oeste, los azeríes (llamados «tártaros» antes de la Revolución) en el este, y los armenios en el sur. La convivencia entre los tres pueblos fue razonable durante el período de dominio ruso, aunque en algún caso se produjeron enfrentamientos a lo largo del siglo transcurrido desde la anexión de la región. La autocracia zarista había integrado a las elites nobiliarias de Georgia y Azerbaiján en el orden político y económico del Imperio, estableciendo también contactos con los industriales y comerciantes locales. Sin embargo, no resolvieron el problema de la demanda de tierras del campesinado ni los problemas surgidos como consecuencia del surgimiento de una clase obrera numéricamente importante en Bakú (Azerbaiján), Batumi y Tiflis (Georgia).

Divididos por el lenguaje, la cultura y la religión, los pueblos de Transcaucasia estaban además estratificados social y económicamente. Etnicidad y clase se reforzaban una a la otra acentuando las diferencias entre las principales nacionalidades.

Los musulmanes de Azerbaiján constituían el grupo más numeroso (24 por ciento del total en 1897), eran principalmente campesinos poco influenciados por la cultura urbana y por el nacionalismo, pero sí por el shiismo. A principios del siglo XX surgió en Bakú un sector de empresarios e intelectuales que se dedicaron a impulsar los reclamos culturales y políticos de los musulmanes.

Los georgianos (23 por ciento) evolucionaron hacia posturas mayoritariamente socialistas en la línea menchevique. El partido Socialdemócrata Georgiano fue el primer partido marxista en el mundo que lideró un movimiento masivo de campesinos, obreros y nacionalistas.

Los armenios (22 por ciento) constituían un pueblo disperso y dividido. Una mayoría eran campesinos pobres, pero también una poco numerosa pero poderosa clase media de empresarios se había convertido en la fuerza económica dominante en varias ciudades. Como consecuencia, en Bakú y Tiflis se produjo una situación en la que los patronos armenios y rusos se enfrentaron a las trabajadores georgianos y musulmanes. Por otra parte, los armenios vivían a ambos lados de la frontera turco-rusa y buena parte de su energía política, canalizada bajo el liderazgo de la Federación Armenia Revolucionaria (*Dashnaktsutiun*), se orientó desde Transcaucasia hacia las provincias armenias del este de Anatolia en un esfuerzo por liberarlos del yugo otomano.

Por tanto, hacia 1917 puede afirmarse que los georgianos estaban mayoritariamente unidos alrededor del liderazgo menchevique —aunque bolcheviques y socialistas revolucionarios tenían una presencia significativa en el centro petrolero de Bakú—, los armenios estaban divididos entre una mayoría nacionalista y una minoría alineada con los partidos socialistas rusos, mientras los musulmanes se mantenían indiferentes a las políticas nacionalistas. A pesar de esta situación, el nacionalismo estaba en ascenso en la región.

Cuando se produjo la Revolución de Febrero, los acontecimientos en la región tuvieron un desarrollo similar a lo ocurrido en Petrogrado, conformándose en las principales ciudades dos órganos de poder paralelos: los soviets de obreros y campesinos y los comités ejecutivos, representantes de los diferentes sectores de la sociedad, aunque en la realidad el poder real residía en los primeros. A lo largo de los meses siguientes se conformó incluso un Comité Especial de Transcaucasia, impulsado por el Gobierno Provisional. Aunque también aquí los mencheviques defendieron la existencia de una etapa democrático-burguesa, el hecho de que se negaran a formar parte de los gobiernos de coalición les permitió afrontar con éxito el crecimiento de los bolcheviques, beneficiarios principales del deterioro de la situación política y económica.

Fue así como, cuando llegaron noticias de la Revolución de Octubre, los mencheviques pudieron mantener inicialmente el control de la situación que, como veremos, evolucionó más tarde hacia la creación de una efímera República Federativa de Transcaucasia.

El intento de Kornilov

El agravamiento de la situación económica y el incremento de la tensión social produjo una justificada alarma entre las clases superiores y en los partidos políticos liberales. A la vista del comportamiento del Gobierno Provisional y de la moderación que mostraban en general los dirigentes de los soviets, parecía una posición razonable incrementar su cooperación con ellos, contribuyendo a fortalecer las posiciones destinadas a afrontar con medidas políticas la radicalización que se verificaba en las fábricas, en el campo y entre los soldados.

El problema residía en que la estrategia pensada a un nivel nacional fallaba cuando se trasladaba al ámbito local. Los dirigentes del Partido Kadete, por ejemplo, chocaban con harta frecuencia con quienes estaban al frente de los soviets; éstos en muchas ocasiones impulsaron políticas radicales que se encontraban en directa contradicción con los valores e instituciones que defendían los liberales. Se fue impulsando así un proceso de desplazamiento de los dirigentes liberales proclives a la negociación con los partidos socialistas no bolcheviques, en beneficio de quienes fueron desplegando lo que se ha denominado con acierto una «mentalidad de guerra civil», dando por ya existente una polarización social que los conducía a desarrollar estrategias destinadas a consolidar las posiciones de los «elementos sanos» de la sociedad rusa. Esta postura llevaba a su vez al acercamiento a grupos de derecha con posturas radicalmente conservadoras como la Unión de Propietarios, pero sobre todo a los sectores militares inquietos, parapetados progresivamente detrás de la figura del general Lavr Kornilov.

Kornilov, un militar de destacada actuación en el campo de batalla, nombrado comandante en jefe del ejército el 19 de julio, protagonizó uno de los episodios determinantes del rumbo que tomaron posteriormente los acontecimientos. Sus posturas en los meses anteriores estaban anunciando su voluntad manifiesta de acabar con la actuación de las masas: en abril, siendo el jefe de la región militar de Petrogrado, intentó hacer uso de los cañones para dispersar a los manifestantes, pero la desobediencia de los encargados de disparar impidió que la maniobra se concretara. Una vez designado en el máximo cargo del ejército, al que accedió como consecuencia de la presión ejercida por los integrantes no socialistas del gobierno y la aceptación resignada de los socialistas moderados, su comportamiento comenzó a generar sospechas; no sólo anunció que iba a actuar de acuerdo a lo que le indicara su conciencia sino que no permitiría que el gobierno o los soviets interfirieran en las operaciones militares. Entre otras medidas, impulsó la introducción de la pena de muerte en el frente para frenar las revueltas y la deserción. Por otra parte, tenía sospechas de que algunos políticos —incluyendo ministros del Gobierno Provisional— eran agentes al servicio de Alemania, y su patriotismo le llevó a autoconvencerse de que era necesario realizar cambios drásticos.

La prensa conservadora, los principales empresarios y la cada vez más temerosa clase media comenzó a ver en él la persona adecuada para «salvar a Rusia». En cambio, para la izquierda, ya fuera ésta moderada o radical, Kornilov se convirtió en el símbolo de la contrarrevolución. En el Congreso de Estado realizado en Moscú entre el 10 y el 13 de agosto, un evento organizado por el gobierno para tratar de fortalecer su posición, fue saludado por los militantes de partidos de derecha como un héroe.

Kerensky, por su parte, estaba adoptando posiciones cada vez más conservadoras, pero en manera alguna intentaba acabar con el poder de los soviets; simplemente aspiraba a que el Gobierno Provisional pudiera actuar con mayor libertad; por esta razón, a pesar de sus aspiraciones de restaurar el orden, sospechaba del comportamiento de Kornilov, a quien le atribuía aspiraciones de poder. De ahí que, a pesar de haber tentativas para llegar a acuerdos entre ambos —se pensaba reemplazar al Gobierno Provisional por un «Consejo de Defensa Nacional» encabezado por Kornilov, encargado de acabar con el «peligro» bolchevique—, las posibilidades de entendimiento eran muy escasas.

Un malentendido creado por V. N. Lvov, procurador del Santo Sínodo (jefe civil de la Iglesia ortodoxa), que realizó gestiones por su cuenta en los últimos días de agosto, llevó a Kerensky a suponer, confirmando las sospechas que ya tenía, que Kornilov aspiraba a dar un golpe de Estado asumiendo poderes dictatoriales, por lo que le anunció su destitución. La respuesta del general, que sólo había dicho que estaba dispuesto a tomar el poder si fuera necesario, fue denunciar a Kerensky, a los soviets y a los bolcheviques, y ordenar la marcha de tropas sobre Petrogrado.

Ante este giro de los acontecimientos, el Soviet como institución así como también obreros y soldados se prepararon para defender la Revolución, lo que significó la salvación de Kerensky. Se distribuyeron armas entre los guardias rojos y otros militantes, pero incluso antes de que tuvieran que actuar, obreros ferroviarios obstaculizaron el avance de las tropas y agitadores se mezclaron entre los soldados para advertirles que estaban siendo usados para un golpe contrarrevolucionario. El movimiento de tropas se paralizó; el general encargado de conducirlas se suicidó, y el 31 de agosto Kornilov y otros oficiales fueron arrestados. Kerensky seguía al frente del gobierno pero a un costo muy alto.

La situación en el campo

Con excepción de las áreas cercanas a las grandes ciudades, las noticias de la Revolución de Febrero se recibieron en el campo con semanas de retraso, en el medio de un invierno particularmente inclemente. Como en todas las sociedades tradicionales, la vida del campesinado ruso se desarrollaba casi exclusivamente alrededor de las tareas agrarias; el mundo urbano era algo lejano, que se manifestaba casi exclusivamente con la llegada de los recaudadores de impuestos o de los vendedores de productos manufacturados, que daban cuenta de la irrupción progresiva de una economía de mercado.

En general, para los campesinos la caída del zarismo fue interpretada como el colapso del injusto régimen de propiedad existente, por lo que brindaron inicialmente su apoyo al Gobierno Provisional. Pero, por supuesto, se trataba de un apoyo asociado a la satisfacción de sus demandas. La situación generada por la guerra era muy difícil: si bien en un primer momento los altos precios de los granos y las compensaciones otorgadas por el ganado y los caballos requisados fueron factores que contribuyeron a una mejora de su situación, el continuo drenaje de mano de obra para el frente, el deterioro de las herramientas —que no podían ser renovadas porque las fábricas orientaban su producción en función de las necesidades bélicas—, el incremento de los impuestos y el deterioro de sus ingresos por la inflación, determinaron que a principios de 1917 el descontento fuera general.

En muchas regiones, el cambio político fue considerado el punto de partida para reiniciar la ocupación de tierras, las que asumieron carácter masivo en el mes de abril. La idea del «Reparto Negro»[19] que contribuiría a compensar los problemas originados por el conflicto retornó con fuerza, si bien no hubo violencia en gran escala. Las ocupaciones rápidamente remitieron como consecuencia de las exhortaciones del gobierno —que trató por todos los medios de evitar el uso de la fuerza para reprimir— y de la Unión de Campesinos, organización liderada por el Partido Socialista Revolucionario. Dada la impaciencia generalizada, el hecho de que la cuestión agraria no fuera resuelta con rapidez condujo a una acelerada disminución de la popularidad del gobierno en el campo.

En este aspecto, la orientación que tuvo el Gobierno Provisional, cuyo ministro de Agricultura era A. L. Shingarev, un integrante del Partido Kadete, tras un primer momento en el que los problemas agrarios no fueron objeto de atención, se limitó a trasladar el problema de la tierra a la Asamblea Constituyente, para que los representantes del pueblo tomaran decisiones al respecto. Su tarea entonces no fue más allá de impulsar una amplia tarea de recolección de información destinada a que los legisladores estuvieran en disposición de todos los elementos de juicio necesarios para realizar su tarea. Para ello se creó un multitudinario Comité Central de la Tierra, cuyas funciones no quedaron excesivamente delimitadas y cuyas delegaciones a nivel provincial en muchos casos actuaron de manera independiente, estableciendo disposiciones que contradecían directamente los objetivos para los que había sido creado el organismo. En la medida en que dentro de las funciones del Comité no estaba la de abordar el problema de las demandas campesinas de tierras, su existencia no resultaba demasiado útil.

La política gubernamental a desarrollar respecto del campo estaba además fuertemente condicionada por las dificultades existentes para disponer de alimentos en las ciudades y en el frente militar. A los pocos días de constituirse el Gobierno Provisional hubo un llamamiento oficial al campesinado, al que se le pedía que si tenía grano para salvar a la «madre patria» lo entregara en las estaciones de ferrocarril o en los depósitos.

Las medidas iniciales estuvieron orientadas hacia el establecimiento de un monopolio estatal sobre los granos, que se comprarían a precio fijo. Comités locales se iban a encargar de recolectar los granos, determinando qué porcentaje de la cosecha quedaría en manos de los campesinos. A pesar de que el gobierno se encargó de subir los precios de los granos, el hecho de que no se realizara a su vez control alguno sobre los precios de los produc-

---

[19] Se denomina así a la expropiación de tierras por parte de los campesinos y su reparto igualitario. El término fue utilizado en 1879 como el nombre de la fracción minoritaria de la agrupación Tierra y Libertad, y su uso se generalizó en los años siguientes.

tos de primera necesidad que los campesinos adquirían determinó que la situación finalmente no les beneficiara —vendían a precio fijo establecido por el Estado y compraban a precios continuamente afectados por una inflación galopante—, por lo que la disconformidad respecto de la acción gubernamental se fue incrementando.

En la reestructuración del Gobierno Provisional que se realizó a principios de mayo el Ministerio de Agricultura pasó a manos del socialista revolucionario Víctor Chernov, el diseñador de la política agraria de su partido y un hombre de gran prestigio entre las clases subalternas. En el campo, su designación fue interpretada como un signo de que la cuestión de la tierra iba a ser abordada de manera radical, pero durante los cuatro meses de su gestión ningún problema fue resuelto. Por una parte, Chernov favoreció la transferencia de la tierra a los comités locales encargados del tema como parte del proceso de distribución de la misma entre los campesinos, lo que le valió la oposición de la mayoría de sus colegas de gobierno. Pero, por otra, el ministro condenó sistemáticamente las ocupaciones de tierras, con lo que produjo un sentimiento de desilusión entre los campesinos. Finalmente, Chernov salió de su cargo tras el intento de Kornilov, fuertemente cuestionado incluso por Kerensky.

Durante los meses de primavera y verano se fueron desarrollando nuevas formas de organización en el campo, que reforzaron las posturas de oposición a la actuación gubernamental. Se ha sostenido con acierto que el establecimiento de los soviets fue un fenómeno vinculado a la presencia de agentes externos operando para impulsar su creación, ya que las formas organizativas de los campesinos eran otras (comités de aldea y de campesinos pobres). De cualquier manera, la creación de los soviets significaba para casi todos los campesinos el reforzamiento del autogobierno directo de las aldeas, liberándose de la intervención del Estado (estuviera quien estuviera a su frente) y de los odiados propietarios.

Las ocupaciones de tierras se incrementaron a partir de julio, y tomaron un nuevo carácter: dejando de lado toda legalidad, los campesinos comenzaron a cultivar la tierra y a instalar su ganado en ella; se trataba de una manera más de avanzar en una realidad que hacia octubre de 1917 era absolutamente indiscutible: el gobierno no sólo había defraudado las expectativas de los campesinos sino que no estuvo en condiciones de ejercer su autoridad en el campo. Para fundamentar esta última afirmación es preciso insistir que los campesinos actuaban exclusivamente en función de sus intereses y los de sus vecinos de aldea; sólo en situaciones ocasionales coordinaban su acción con otras aldeas y no eran extraños los enfrentamientos entre aldeas vecinas[20]. Como se ha dicho con frecuencia, no estaba incorporada la idea del «campesinado» como un conjunto. Por otra parte, todo lo que venía de las ciudades estaba sujeto a sospecha, y si a esto agregamos

_____
[20] Con frecuencia se daba el caso de una región que se negaba a enviar grano a sus vecinos hambrientos afectados por una mala cosecha.

Lenin proclamando el poder de los Soviets durante el II Congreso de los Soviets.

el tradicional recelo de los campesinos respecto de cualquier autoridad externa, y la debilidad y errores del Gobierno Provisional, se configura un panorama en el que las expectativas de quienes residían en el campo se centraron en impulsar ellos mismos la resolución de sus problemas. De ahí que, además de progresar en la ocupación de tierras, se negaron a entregar los granos al mercado, contribuyendo seriamente a afectar —junto con otros factores como el pésimo funcionamiento de la red ferroviaria— la provisión de las ciudades, y por tanto la alimentación de las clases bajas urbanas.

El triunfo de los bolcheviques

La intentona de Kornilov tuvo varias consecuencias decisivas de cara al futuro. En principio, la reputación de Kerensky se vio seriamente dañada, y a pesar de que se mantuvo en el puesto de jefe del Gobierno hasta la Revolución de Octubre nunca recuperó su prestigio. Tanto la derecha como la izquierda le acusaron de haber participado en la conspiración para luego traicionar a su socio. Los socialistas moderados tampoco salieron indemnes, ya que habían aceptado la designación de Kornilov, un peligro para la Revolución. Ante los hechos, los soldados terminaron de perder la confianza en sus oficiales, por lo que la restauración de la obediencia, uno de los objetivos de Kornilov, experimentó un deterioro aún mayor.

Quienes indudablemente salieron vencedores fueron los bolcheviques y los denominados socialistas revolucionarios de izquierda: en particular, los Guardias Rojos se armaron y organizaron, lo que tuvo importantes repercusiones para el curso de los acontecimientos posteriores. Además, el temor a que se produjera un nuevo intento contrarrevolucionario contribuyó a la radicalización de trabajadores y soldados en muchas ciudades del interior; lo ocurrido con Kornilov coincidía con la difundida idea conspirativa que circulaba entre las clases bajas de que la derecha estaba al acecho para acabar con la revolución.

Ante el agravamiento de la situación en todos los ámbitos, Kerensky hizo un último esfuerzo y a mediados de septiembre convocó una «Conferencia Democrática» de todas las fuerzas políticas en condiciones de apuntalar al gobierno hasta la convocatoria a la Asamblea Constituyente. Sin embargo, en ella no pudo llegarse a una conclusión definitiva en relación con la posible conformación de una coalición socialista destinada a ejercer el gobierno, lo que hizo de la reunión una nueva manifestación de los dilemas en los que se debatían los dirigentes mientras en las calles las posiciones se volvían cada vez más radicales. En este sentido, se destaca sin duda la incapacidad de la mayoría de los mencheviques y los socialistas revolucionarios de sintonizar con las expectativas de los obreros industriales, que ya habían tomado considerable distancia respecto de cualquier acuerdo que incluyera a los partidos burgueses. El resultado de la «Conferencia» fue la conformación de un «Preparlamento», llamado oficialmente Consejo Provisorio de la República Rusa —la que fue proclamada por Kerensky el 1 de septiembre—, cuya actividad careció de toda vinculación real con lo que ocurría en la sociedad. El hecho de que el 24 de septiembre Kerensky nombrara un nuevo gobierno con participación menchevique y socialista revolucionaria, pero con el retorno de los Kadetes en los puestos clave, era la prueba palpable del fracaso de los dirigentes de los dos partidos socialistas en entender la realidad.

Escondido en Finlandia, donde la búsqueda policial era sin duda menos rigurosa, Lenin reinició, tras algunos momentos en los que sostuvo la posibilidad de un gobierno de amplia base socialista, su prédica a favor de la realización de operaciones destinadas a la toma del poder aprovechando la debilidad del gobierno de Kerensky. En pleno desarrollo de la Conferencia Democrática, esa posibilidad fue descartada de plano por sus camaradas. El testimonio de dirigentes como Bujarin indica que llegaron a quemar alguna de sus cartas; la mayor parte de quienes manejaban el partido en Petrogrado, encabezados por Kamenev, argumentaban que los soviets todavía estaban en manos de los otros partidos de izquierda y un alzamiento en esos momentos favorecería al gobierno, que dispondría de una justificación para desencadenar una fuerte represión, por lo que era preciso continuar con la estrategia de un amplio gobierno de coalición. Junto con un sector radicalizado de los socialistas revolucionarios —los llamados «socialistas revolucionarios de izquierda»— y con los mencheviques «internacionalistas», la estrategia de los principales dirigentes bolcheviques se orientó a impulsar la convocatoria del II Congreso de los Soviets, en el que pensaban imponer la idea de un gobierno socialista homogéneo. En cambio, convencido Lenin de que, a diferencia de lo ocurrido en julio, era el momento justo de actuar sin vacilaciones, hizo las tentativas necesarias para acercarse a Petrogrado. Se alojó primero en la localidad finlandesa de Viborg, próxima a la frontera, y más tarde en los mismos suburbios de la capital, donde permaneció escondido en el piso de una militante de partido, pero manteniendo comunicación con sus camaradas hasta que se produjo el estallido de la Revolución.

Durante el mes de septiembre el país estuvo paralizado por una serie de huelgas cada vez más amplias, acompañadas de un crecimiento de los saqueos y del vandalismo; el temor de las clases medias y altas se incrementó de manera considerable como consecuencia de la incapacidad del gobierno para dar respuesta a un clima de anarquía.

En esos momentos, la presencia de los bolcheviques entre los sectores obreros y entre los soldados creció de manera rápida: con un intervalo de pocos días lograron a finales de agosto y principios de septiembre obtener mayoría tanto en el Soviet de Moscú como en el de Petrogrado, dando fuerza a la insistencia obsesiva de Lenin respecto a la necesidad de actuar con prontitud. En este último, Trotski, que había salido de prisión a principios de septiembre, se convirtió en su presidente, transformándolo con su gestión en un instrumento al servicio de la insurrección. Por otra parte, Lenin argumentaba, con una buena dosis de tremendismo, que si no se efectuaba la toma del poder en los días siguientes, Kerensky podía abandonar Petrogrado a las tropas alemanas, trasladando la sede del gobierno a Moscú. Sin embargo, había otra razón para que Lenin insistiera en una insurrección inmediata: a finales de octubre se iba finalmente a reunir el II Congreso Nacional de los Soviets; el resultado previsible sería una coalición de todas las fuerzas representadas en los mismos, en la que los bolcheviques serían simplemente una más, e incluso dentro del partido la victoria política correspondería a Kamenev, principal defensor de esta idea, pasando Lenin a ocupar un lugar de segunda línea. Sólo una operación que dejara el poder en manos de los bolcheviques obligando al Congreso a aceptar los hechos consumados podría asegurar la continuidad de su control sobre el partido.

Por tanto, jugó fuerte para lograr sus objetivos: primero amenazó hasta con su renuncia al Comité Central y más tarde convocó una reunión secreta del mismo para el 10 de octubre, en la que —emergiendo de la clandestinidad— hizo valer su capacidad de maniobra para lograr una decisión del partido en favor del desencadenamiento de una insurrección armada. Esta reunión, de enorme importancia, contó con la presencia de 12 miembros sobre un total de 21, imponiéndose la postura de Lenin por 10 votos a favor y 2 en contra (Zinoviev y Kamenev). Por tanto, una minoría del Comité Central decidió adoptar una decisión de la trascendencia de organizar un intento revolucionario contando únicamente con los militantes bolcheviques; se trataba de una operación a la medida y los deseos de Lenin: adelantó la reunión, prevista para una semana más tarde, y logró su propósito de que la operación se llevara

a cabo antes de la reunión del II Congreso de los Soviets.

Zinoviev y Kamenev, disconformes tanto con la forma como con el resultado de la maniobra de Lenin, defendieron sus posiciones de varias maneras: Kamenev se negó a avalar la decisión el Comité Central y presentó su renuncia, y ambos enviaron al día siguiente una nota explicativa a la dirigencia del partido, argumentando que a la vista del crecimiento de la popularidad de los bolcheviques era conveniente avanzar en la acción política, dado que eran «excelentes» las posibilidades del partido en las elecciones a la Asamblea Constituyente y entonces una insurrección podría conducir a la derrota, «y una derrota en esta lucha sería la derrota de la Revolución».

Pocos días más tarde ambos insistieron en sus posiciones publicando una carta del mismo tenor en *Novaya Zhizn* (Nueva Vida), el periódico que dirigía Maximo Gorky, en la que nuevamente criticaban con dureza la decisión de desencadenar una insurrección: «en el estado actual de las relaciones de fuerzas sociales, sin consultar al Congreso de los Soviets y unos días antes de su convocatoria, la instigación a una sublevación armada sería un paso inadmisible y fatal para el proletariado y la Revolución».

La respuesta de Lenin fue muy propia de su personalidad: «declaro abiertamente que he dejado de considerarlos a los dos como camaradas y que lucharé con todas mis fuerzas, tanto en el Comité Central como en el Congreso por conseguir su expulsión del Partido». Ese texto, titulado *Carta a los Camaradas*, fue publicado en el órgano oficial del Partido Bolchevique.

Tan débil era el gobierno de Kerensky que estos temas podían ventilarse libremente y sin consecuencias en los medios de prensa.

En los días siguientes se pusieron en marcha los aspectos «técnicos» de la insurrección: el 9 de octubre se había conformado en el Soviet de Petrogrado un Comité Militar Revolucionario que, si bien fue impulsado inicialmente por los mencheviques como instrumento de defensa frente a un eventual intento contrarrevolucionario, luego devino en un instrumento en manos de la mayoría bolchevique en el Soviet, en condiciones de ser utilizado en las operaciones que se planeaban para el futuro inmediato. En este ámbito, Trotski cumplió una tarea fundamental colocando en el Comité Militar a bolcheviques de confianza.

Las expectativas de Lenin pasaban por la realización de una operación rápida, ejecutada por una pequeña fuerza decidida, bien armada y disciplinada, por lo que las especulaciones respecto de la mayor o menor disposición de las masas en relación con el apoyo de un alzamiento no eran para él un problema esencial; se trataba entonces de convencer a los dirigentes —muchos de ellos renuentes— de que la insurrección debía realizarse, y lo más pronto posible. En esa tarea se movió, siempre en la clandestinidad, aunque en algunos momentos los dirigentes del Comité Central optaron por reunirse sin su presencia.

Desde el 21 de octubre en adelante la insurrección asomó a la superficie a través de la acción del Comité Militar Revolucionario, que se autoadjudicó «la defensa de la Revolución», reclamando el mando sobre las guarniciones instaladas en la capital. Mientras tanto, la actitud de Kerensky era de una profunda falta de percepción de la realidad: por una parte, estaba convencido de que el principal peligro provenía de la derecha; por otra, recordando lo ocurrido en julio, subestimaba la capacidad de Lenin y de los bolcheviques de protagonizar un hecho revolucionario (otros testimonios, con menos argumentos, sostienen que albergaba un gran temor hacia los bolcheviques, que lo paralizaba). En función de esta manera de procesar lo que estaba ocurriendo, el presidente del Gobierno Provisional actuó tarde y cuando se decidió a hacerlo lo hizo de forma incompetente, contribuyendo de manera no insignificante al triunfo de los bolcheviques. Su proyecto de trasladar el núcleo de la guarnición de Petrogrado hacia el frente contribuyó a que muchos creyeran que desde el Gobierno Provisional se estaba organizando una contrarrevolución y para ello se alejaba de la capital a los soldados menos confiables; de esta manera se facilitó el papel protagonista del Comité Militar Revolucionario. Sus testimonios posteriores, una suerte de autojustificación, insisten en argumentar que tras el fallido intento de Kornilov la situación era insostenible para el gobierno, huérfano de apoyo, pero lo cierto es que con sus errores hizo que el alzamiento fuera factible, y además tuviera éxito.

Las operaciones que se realizaron en esos días fueron protagonizadas por soldados de la guarnición que manifestaron fidelidad al Comité Militar Revolucionario y los militantes bolcheviques armados, la Guardia Roja; éstos se dedicaron a ocupar los lugares estratégicos de la capital —estaciones de ferrocarril, puentes, central telefónica y telegráfica, banco del Estado, etc.— sin producirse prácticamente derramamientos de sangre. El número total de participantes en estas operaciones ha sido objeto de debate, pero en la postura más favorable para los bolcheviques no supera los 30.000 a 35.000 militantes. Se trataba en principio de maniobras defensivas, las que estuvieron originadas en la decisión de Kerensky de ordenar el cierre de los órganos de prensa bolcheviques, adoptada durante la noche del 23 al 24 de octubre. No existía sin duda un plan concreto, ni el impulso para proceder a la lucha por la toma del poder; Trotski mismo declaró en esos momentos que no había que responder a las provocaciones.

Lenin, mientras tanto, operaba desde su escondite enviando carta tras carta a sus camaradas para urgirles a que se lanzaran a la acción; en una de esas cartas, redactada el mismo 24 por la tarde, exhortaba así a los miembros del Comité Central: «La situación es en extremo crítica. En realidad, ahora es completamente claro que postergar la insurreccion sería fatal. (...) ¡¡¡No podemos esperar!!! ¡¡¡Podemos perderlo todo!!!»

Preocupado por las decisiones que podían tomar sus colegas sin su presencia, hacia la caída de la tarde del 24 Lenin optó por marchar hacia el teatro de los acontecimientos irrumpiendo en el Instituto Smolny, lugar donde se iba a reunir el Congreso de los Soviets; el objetivo era ponerse al frente del Comité Central e impulsar las acciones orientadas hacia el derrocamiento del gobierno provisional. La importancia de su presencia en esos momentos ha sido resumida por un testigo: «Antes de la llegada de Lenin, ni nosotros ni Kerensky estábamos dispuestos a arriesgarnos en un enfrentamiento decisivo. Nosotros esperábamos, pensando que nuestros fuerzas no estaban suficientemente concienciadas y organizadas. Kerensky por su parte temía tomar la iniciativa en sus propias manos. (...) De repente, apareció el camarada Lenin y todo cambió de manera decisiva. Triunfaron sus puntos de vista, y desde ese momento pusimos en marcha una decidida ofensiva.» Es muy probable que este testimonio haya sido magnificado para realzar el papel de Lenin en la sublevación, pero es cierto también que muchos dirigentes, incluido el mismo Trotski, aún dudaban respecto de la posibilidad de actuar usurpando las funciones del Congreso de los Soviets.

Para efectuar el alzamiento contó el líder bolchevique a su favor con la circunstancia de que muchos activistas habían quedado frustrados por el fracaso de la movilización realizada en julio, y no estaban dispuestos a repetir la experiencia retrocediendo en el último momento. Habría que agregar además que sectores marginados de la sociedad, vinculados con el vandalismo y el crimen, también tuvieron su presencia, hasta el punto de que un testigo calificado como Gorky, a priori a favor de los revolucionarios, escribió que lo que estaba ocurriendo no era «un proceso de revolución social» sino «un pogromo de codicia, odio y venganza».

En esa misma noche del 24 se comenzó incluso a discutir la formación del gobierno que se iba a presentar ante el Congreso de los Soviets, y Lenin redactó para su publicación al día siguiente un manifiesto dirigido a los ciudadanos de Rusia en el cual se anunciaba que «el Gobierno Provisional ha sido depuesto».

El anuncio era prematuro; en la mañana del 25 Kerensky se marchó disfrazado de la ciudad en busca de tropas para acabar con el intento bolchevique, por lo que la situación no estaba en manera alguna resuelta, pero de lo que se trataba era de actuar de cara al resto de las agrupaciones políticas, destacando el protagonismo de los bolcheviques. Asimismo, el objetivo inmediato propuesto por Lenin, y sobre el que insistió hasta el cansancio, era el de la toma del Palacio de Invierno, sede del gobierno, antes de la inauguración del II Congreso de los Soviets. Para ello contaron también con el apoyo de la flota anclada en el puerto de Kronstadt, algunos de cuyos barcos remontaron el río Neva.

Durante la misma mañana del 25 se desarrollaron las operaciones de acuerdo con lo planeado, pero el ataque final al Palacio de Invierno se fue posponiendo, pese a que la resistencia de quienes lo defendían era casi nula. Mientras tanto, el Soviet de Petrogrado se reunió con carácter de emergencia a primera hora de la tarde, y después de que Trotski proclamara otra vez que el gobierno había sido derrocado (cosa que seguía sin ser cierta), Lenin, que llegó cuando la reunión se había iniciado, comenzó a hablar anunciando que la Revolución había triunfado: «el significado de este *golpe* consiste, sobre todo, en el hecho de que tendremos nuestro propio órgano de poder, en el cual la burguesía no tendrá ninguna participación».

Pero la situación no estaba resuelta; a lo largo del día fueron llegando los delegados para dar comienzo a las deliberaciones del II Congreso de los Soviets, pero la inauguración oficial no se realizó hasta las once menos veinte de la noche. Incluso en ese momento no se había producido la caída del Palacio de Invierno —los disparos de atacantes y defensores se oían desde el Instituto Smolny—, por lo que las discusiones se iniciaron en un ambiente de máxima tensión, dado que se acusaba a los bolcheviques de llevar adelante una conspiración en nombre de los soviets pero sin el acuerdo de éstos.

Cuando se produjo la apertura oficial del Congreso, los bolcheviques constituían una mayoría de alrededor de 340 delegados sobre un total de 650, a los que además se les sumaron casi 100 socialistas revolucionarios de izquierda que compartían los objetivos bolcheviques, lo que les permitía disponer de una mayoría absoluta. La conformación de esta mayoría no reflejaba en manera alguna el alineamiento de los soviets, sino que surgía simplemente del hecho de que las organizaciones campesinas se habían negado a participar, declarando que el mismo no estaba convocado legalmente. Una situación similar ocurría con los comités de soldados, mientras que los bolcheviques aprovecharon el laxo reglamento del Congreso para introducir una representación propia a todas luces exagerada. No se justifica demasiado entonces la afirmación de Trotski de que constituía el «más democrático parlamento de la historia».

En los primeros momentos Martov, en nombre de los mencheviques internacionalistas, afirmó que «si el Congreso quiere ser la voz de la democracia revolucionaria, no debe cruzarse de brazos ante la guerra civil, so pena de provocar el estallido de una peligrosa contrarrevolución; (...) una solución pacífica sólo es posible mediante la constitución de un poder democrático unido». Sus palabras fueron muy aplaudidas; existía sin duda un ambiente favorable —que incluía a varios delegados bolcheviques— respecto de la posibilidad de conformar un gobierno de coalición. No obstante, noticias tales como el encarcelamiento de los ministros pertenecientes a los partidos socialistas determinaron que en principio mencheviques y socialistas revolucionarios de derecha abandonaran la sala de sesiones, dejando a los bolcheviques con el control general de la situación en el Congreso, que era justamente la situación esperada por Lenin. Los opositores que quedaban se vieron agredidos por Trotski, que les dijo: «Habéis agotado vuestro papel. Vayánse al lugar al que desde ahora pertenecen: ¡al basurero de la historia!» A partir de estas palabras, desaparecieron de la sala todos los adversarios de los bolcheviques, dejando el camino libre para que éstos contaran con «el monopolio del Soviet, de las masas y de la Revolución».

Durante estas escaramuzas oratorias, Lenin no tuvo participación, esperando con ansia la noticia de la caída del gobierno provisional; su estrategia fue desarrollada por Trotski, que resultó el gran protagonista del día. Cuando finalmente la victoria estuvo asegurada, incluyendo la toma del Palacio de Invierno, Lenin sólo tuvo una intervención, tras la cual se marchó a descansar y a preparar los primeros decretos del nuevo gobierno.

Éstos, que conformaron las bases del nuevo régimen, fueron tres: el decreto sobre la paz, el decreto sobre la tierra y el que anunciaba la formación de un nuevo gobierno.

El decreto relativo a la guerra era un llamamiento a las potencias beligerantes para que iniciaran negociaciones de paz sobre la base de la consigna «sin anexiones ni indemnizaciones», a la vez que se denunciaban los tratados secretos firmados por los integrantes de la Entente como partes de las «maquinaciones de la diplomacia imperialista». Además, la convocatoria de Lenin se lanzaba con un componente revolucionario indudable: las condiciones de paz debían acordarse a partir de la reunión de «asambleas plenipotenciarias de representantes populares de todos los países». El previsible rechazo de los aliados a una propuesta de este calibre llevó a que los bolcheviques iniciaran casi inmediatamente la negociación de un alto el fuego con Alemania, y la apertura de conversaciones para la firma de un tratado de paz constituía una de las decisiones que más esperanza suscitaba en la sociedad, que estaba agotada por el esfuerzo bélico, y obviamente en los soldados, para los cuales la guerra había sido un calvario provocado por el enemigo, pero también por las privaciones emergentes de un esfuerzo desproporcionado para los recursos de Rusia. Por supuesto, el rumbo que tomaron los acontecimientos reforzó los argumentos de quienes sostenían que Lenin era un agente alemán, aunque el proceso que, como veremos más adelante, condujo a la firma de la paz de Brest-Litovsk mostró sin lugar a dudas que tanto los bolcheviques como los negociadores alemanes procedían tratando de aprovecharse uno del otro para alcanzar sus propios objetivos.

En cuanto al tema del reparto de la tierra, el decreto sin duda reflejaba las expectativas de los campesinos, en tanto procedía a expropiar sin indemnización alguna «las fincas de los terratenientes, así como todas las tierras de la Corona, de los monasterios y de la Iglesia», pero entraba en colisión con las concepciones socialistas. La táctica de Lenin de ganarse el apoyo de los campesinos probablemente fuera, acertada de cara a la coyuntura, pero sus repercusiones a largo plazo constituyeron el problema más serio que debieron afrontar los bolcheviques. Esta contradicción fue percibida por algunos de los congresistas, ya que, pese al ambiente de euforia y aclamación masiva, a la hora de votar el decreto hubo ocho abstenciones y un voto negativo; era un número escaso de disidentes, pero se hacían notar en un ambiente dominado por el entusiasmo y la unanimidad.

Finalmente, a la hora de establecer las características del nuevo gobierno se planteó un serio problema: teóricamente se trataba de un gobierno provisional destinado a durar «hasta la reunión de la Asamblea Constituyente», pero desde luego era evidente que los bolcheviques querían monopolizar el poder. El Consejo de Comisarios del Pueblo (*Sovnarkom*), así llamado por sugerencia de Trotski, estuvo totalmente en manos de dirigentes bolcheviques, destacándose Lenin como presidente, el mismo Trotski como encargado del Comisariado de Asuntos Exteriores, Stalin como Comisario de las Nacionalidades, Anatoli Lunacharsky a cargo de Educación, y Alexander Schliapnikov en Trabajo, entre otros; Nadezhda Krupskaya, la esposa de Lenin, ocupó el cargo de sub-comisaria de Ilustración Popular[21]. Los socialistas revolucionarios de izquierda, aliados de los bolcheviques en ese momento, no aceptaron en principio participar en la integración del gobierno, debido a que abrigaban la esperanza de mediar entre las diferentes partes en conflicto, logrando finalmente la conformación de un gobierno que expresara la voluntad general de las masas.

Otro de los temas abordados tempranamente por el *Sovnarkom* fue el de la cuestión nacional: el 2 de noviembre se dio a conocer la «Declaración de los Derechos de los Pueblos de Rusia», en la que explicitaba no sólo «la igualdad y soberanía de los pueblos de Rusia», sino también el derecho de los mismos a disponer de sí mismos, «aun hasta el punto de la separación y de la formación de un estado independiente». Con esta postura que, como se ha visto, expresaba las ideas de Lenin sobre la cuestión

---

[21] La integración completa del Comité de Comisarios del Pueblo es la siguiente: Presidente: Lenin; Relaciones Exteriores, Trotski; Asuntos Interiores, A. Rykov; Nacionalidades, Stalin; Justicia, G. Lomov; Finanzas, I. Skvortsov-Stepanov; Trabajo, A. Schliapnikov; Educación, Lunacharsky; Correos y Telégrafos, N. Avilov; Agricultura, V. Miliutin; Comercio e Industria, V. Nogin; Suministros, I. Teodorovich.

nacional, se esperaba mantener el control sobre las situaciones que se fueran presentando. Stalin, el «experto» del partido en el tema nacional[22], fue el responsable de afrontar una cuestión que rápidamente se volvió ingobernable.

Los primeros días posteriores al establecimiento de los bolcheviques en el poder estuvieron caracterizados por la existencia de amenazas en dos frentes: por una parte, el retorno de Kerensky, auxiliado por el Tercer Cuerpo de Caballería bajo el mando del general Peter Krasnov, con el objeto de restaurarlo en el poder; por otra, las exigencias planteadas por los obreros ferroviarios de paralizar el transporte si no se constituía un gobierno socialista de coalición. En ambos casos, el gobierno salió airoso de los desafíos planteados, organizando en principio la defensa de la ciudad sobre la base de la utilización de los Guardias Rojos, y de los primeros oficiales zaristas empleados como «expertos», logrando vencer a los cosacos que venían en ayuda de Kerensky en Pultovo el 30 de octubre. Además, también la amenaza de los dirigentes ferroviarios se resolvió con la entrada de algunos socialistas revolucionarios de izquierda en el gobierno, sin que el *Sovnarkom* aceptara otros condicionamientos que intentaban imponerles, pese a que varios de sus integrantes seguían defendiendo la idea de que debía convocarse a los otros partidos socialistas al gobierno, cuestión que incluso produjo la renuncia temporal de cinco dirigentes del Comité Central,

entre los que se encontraba el mismo Kamenev.

En Moscú la situación no se definió tan rápidamente: las dificultades económicas eran mucho mayores que en la capital y había movimientos insurreccionales espontáneos; en un principio, las fuerzas progubernamentales controlaron el Kremlin, pero en lugar de aprovechar su ventaja decidieron entrar en negociaciones con los bolcheviques. Durante los tres días que duraron las mismas, el Comité Militar Revolucionario, que se constituyó el 25 de octubre, organizó sus fuerzas y atacó finalmente en la medianoche del 30 de octubre; tres días más tarde las tropas que defendían el Kremlin se rindieron. A diferencia de lo que ocurrió en Petrogrado, donde la Revolución triunfó inicialmente con escaso derramamiento de sangre, las luchas en las calles moscovitas produjeron más de un millar de muertos.

En otras ciudades de Rusia hubo una amplia variedad de situaciones; el curso y desenlace de cada una de ellas dependió de la fuerza y determinación de las partes contendientes (en el campo, la Revolución de Octubre no tuvo inicialmente un impacto significativo, excepto la continuidad en la intensificación del proceso de ocupación de tierras). En algunas localidades, los bolcheviques se unieron a mencheviques y socialistas revolucionarios para proclamar el poder «soviético»; en otras tomaron el poder en solitario, expulsando a sus rivales socialistas; en la mayor parte de los casos actuaron sin

---

[22] Stalin escribió en 1913 un trabajo denominado *El marxismo y el problema nacional*, que era considerado la posición oficial del Partido Bolchevique en este tema.

recibir directivas desde Petrogrado. Se dieron casos en que las autoridades ofrecieron resistencia; en otros se proclamaron «neutrales». A principios de noviembre el nuevo gobierno controlaba el corazón del antiguo imperio zarista, o por lo menos las ciudades; las regiones alejadas, así como las aldeas, permanecían en su mayoría fuera de su jurisdicción.

Finalmente, y contra todo pronóstico, la Revolución había triunfado, pero al mismo tiempo surgía una pregunta, que incluso fue el título de un artículo que Lenin escribió en esos días: *«¿Podrán los bolcheviques conservar el poder?»*

La Revolución bolchevique en la visión actual de los historiadores

Durante varios años, los historiadores polemizaron con vigor respecto de la caracterización de la Revolución de Octubre. Desde las posiciones conservadoras se sostuvo que se trató de un golpe de Estado perpetrado por una minoría sin ningún mandato popular, que instaló en el poder a quienes impulsaron la instalación de una dictadura totalitaria. Una variante de esta interpretación es la que afirma que fue el resultado de la acción de un grupo que aspiraba a remodelar la sociedad de acuerdo con sus concepciones ideológicas, asumiendo la realización de una tarea de ingeniería social en la que la opinión de los afectados no era tomada en cuenta.

Las corrientes «revisionistas», en cambio, a partir de investigaciones realizadas sobre el comportamiento de las clases subalternas, argumentaron que más allá del número real de participantes en los acontecimientos que culminaron con la toma del Palacio de Invierno, había un impulso revolucionario que venía «desde abajo», de los trabajadores, campesinos y soldados, que vincula a los protagonistas directos de los hechos con estos grupos postergados. En esta explicación la ruptura entre las masas y la dirigencia revolucionaria está en otro punto: los bolcheviques, al instalar una dictadura de partido único, ahogaron las expectativas transformadoras que se manifestaban en amplios sectores de la sociedad rusa y la condenaron a una posición subordinada.

Otro tema fundamental de análisis y debate es el de las opciones que se presentaron en el momento de la efectiva toma del poder. Frente a las posturas ortodoxas que, desde la historiografía estalinista hasta la misma obra de Trotski sobre la Revolución, afirman que los bolcheviques, liderados por la capacidad estratégica de Lenin tuvieron la visión y decisión necesarias para percibir el momento en que había que actuar, contraponiéndolo a la miopía del resto de los partidos socialistas, se alza una visión alternativa que sostiene que en el Congreso de los Soviets estaban dadas las condiciones como para formar un gobierno de coalición con representación de los partidos que participaban en los soviets, en condiciones de llevar adelante una política de transformaciones que mantuviera la vigencia de las instituciones democráticas. Cualquier especulación sobre estas cuestiones no puede ir más allá, pero a la vista de la evolución de los acontecimientos es posible conjeturar que, aun en una situación particularmente difícil, un gobierno de los soviets disponía de un margen de posibilidades para desplegar una acción que, por lo menos, no condujera a los indecibles sufrimientos a los que se vio sometido el pueblo ruso por lo menos en los cuatro años siguientes.

Capítulo 3

LOS BOLCHEVIQUES EN EL PODER

Los sucesos de octubre tuvieron variadas repercusiones sobre la sociedad rusa. Para muchos de sus habitantes, la toma del poder por parte de los bolcheviques generó un sentimiento de alegría respecto de que empezaba a surgir un nuevo mundo en donde la justicia y la igualdad iban a triunfar sobre la explotación y la arbitrariedad. A los ojos de un gran número de obreros y soldados, así como de algunos sectores del campesinado, el gobierno de los soviets aseguraba la libertad y el acceso a la tierra, la destrucción de las viejas clases privilegiadas y el triunfo de los trabajadores. La apuesta era sin duda arriesgada, sobre todo por los problemas que ocasionaba la guerra y la latente amenaza contrarrevolucionaria, pero muchos pensaban que valía la pena.

Esta visión de la situación se contraponía sin duda a otra que tenían sectores militantes del socialismo no enrolados en el Partido Bolchevique, quienes veían en el operativo realizado por los hombres de Lenin la hábil maniobra de una minoría audaz sin mandato alguno, que había usurpado el poder aprovechando la debilidad del Gobierno Provisional. Para ellos, la convocatoria a la Asamblea Constituyente marcaría sin duda el fin de esta «aventura», protagonizada además por un dirigente seriamente sospechoso de estar en connivencia con el enemigo alemán. Si los sucesos se encarrilaban, entonces podía empezar a pensarse en un verdadero gobierno democrático de la clase trabajadora y del campesinado, en condiciones de afrontar con éxito los desafíos del momento. El gran problema de estos grupos, que se veía manifestado desde meses atrás, residía en que en ciertos temas cruciales que exigían decisiones inmediatas, como el de la continuidad o no de la guerra, existían posiciones divergentes, de difícil conciliación en un momento en que la sociedad reclamaba un rumbo definido. Por otra parte, había también sectores moderados dentro de la dirección de esos partidos dispuestos a continuar impulsando una política de coalición con los partidos burgueses como camino para afrontar la crisis.

Finalmente, para una parte significativa de la población, lo que había ocurrido era un episodio más de una situación política que se venía deteriorando de manera progresiva en los últimos meses, y la toma del Palacio de Invierno, acompañada de la conformación de un nuevo gobierno encabezado por ahora por Lenin con participación exclusiva de los bolcheviques, no parecía nada demasiado diferente, ni tampoco auguraba una modificación, por lo menos a corto plazo, de un escenario caracterizado por una debacle económica y una enorme tensión social. Los testimonios referentes a que la vida cotidiana en Petrogrado siguió desarrollándose durante un tiempo sin mayores cambios, como si lo ocurrido fuera una cuestión que no les afectaba de manera directa, daba cuenta de una realidad extremadamente compleja, en la que nada estaba definido. John Reed, el más famoso de los cronistas de la Revolución, describía así la situación de Petrogrado el 26 de octubre: «en apariencia, todo estaba tranquilo; cientos de miles de personas se levantaban como todos los días y se dirigían a sus trabajos. En Petrogrado funcionaban los tranvías, las tiendas y los restaurantes estaban abiertos, los teatros daban funciones, se anunciaba una exposición de pintura».

Incentivado por una situación marcada por la provisionalidad, el *Sovnarkom* mostró una inusitada voluntad de impulsar transformaciones desde el poder. Hasta el 1 de enero de 1918, no menos de 116 decretos fueron promulgados, sobre temáticas tan variadas como el control obrero, el establecimiento de la jornada de ocho horas, la creación del Consejo Supremo de la Economía Nacional, la abolición de la pena de muerte, la nacionalización de la banca, la enseñanza laica, gratuita y universal, la legalización del divorcio o la reforma del alfabeto.

Sin embargo, el control de la situación por parte de quienes estaban al frente del gobierno no era fácil. Por una parte, los víveres en la capital sólo alcanzaban para unos pocos días; por otra, la reacción de los funcionarios de la burocracia estatal, conscientes de la debilidad de las bases del gobierno bolchevique, fue de oposición sistemática. Se necesitaron varias semanas para normalizar la situación, lo que incluyó la cesantía —e incluso la prisión— de los más recalcitrantes, y su reemplazo por quienes desde cargos inferiores estuvieran dispuestos a apoyar a los bolcheviques.

La posición de quienes ejercían el poder estaba ocupada por una mezcla de utopía y realismo: se planificaba como si el triunfo de la Revolución fuese definitivo —o se quisiese dejar un ejemplo para la posterioridad—, pero también se tenía en cuenta —y esta tarea corría fundamentalmente por cuenta de Lenin y Trotski—, la circunstancia, en ese momento incuestionable, de que lo que ocurría en Rusia debía ser el punto de partida de la revolución mundial. Es conocida la frase de Trotski respecto de este tema: confiado en que el triunfo del proletariado a nivel internacional iba a transformar en irrelevantes las relaciones entre los estados, afirmó que su tarea iba a consistir en «lanzar unas pocas proclamas revolucionarias a los pueblos del mundo y luego cerrar el negocio».

En esas primeras semanas también se puso en marcha un proceso de enorme significación futura: el control del poder por parte del *Sovnarkom*, desplazando al Congreso de los Soviets. La consigna «Todo el poder a los Soviets» se tradujo en la práctica en una frase hueca; progresivamente el Consejo de Comisarios del Pueblo comenzó a gobernar por decreto y esto se transformó en una práctica habitual. El Comité Ejecutivo de los Soviets, fuertemente incrementado en su número inicial por la presencia de representantes de los campesinos y de los soldados, se convirtió progresivamente en un organismo de segunda importancia, al tiempo que los comités de fábrica se comenzaron a transformar en órganos administrativos al servicio del gobierno, más que en instituciones realmente representativas. Se trataba de un deslizamiento que en principio podía ser justificado por la dramática coyuntura que se estaba viviendo, pero que a la vista de la orientación del hacer político de Lenin y de su percepción de la realidad se inscribía sin contradicciones en una línea que tenía su origen ya lejano en *Qué hacer*. La «vanguardia» era la que tenía que ejercer el poder en nombre de la clase obrera, aun en contra de ella misma. Esa hegemonía del partido se va a manifestar de manera explícita con posterioridad; con ocasión del X Congreso del Partido Comunista (ése fue el nombre que adoptó el Partido Bolchevique desde principios de 1918) realizado en marzo de 1921, y sobre el que volveremos más adelante, Lenin expresó con absoluta claridad que: «Nuestro partido es el que ejerce el gobierno y las resoluciones que adopte el Congreso del Partido serán obligatorias para toda la república.» No estábamos sin duda frente a nada parecido a una concentración de poder en manos de una persona: el objetivo de Lenin era la plasmación de un proyecto revolucionario en el que creía ciegamente y para cuya efectiva concreción se sentía el único capacitado. Pero esa convicción de que estaba en posesión de la verdad, y la voluntad de luchar de manera incansable por el poder político, no pueden ser confundidas con nada que se vincule con el establecimiento de una dictadura personal; cuando en algún momento se le planteó, a la vista de su prestigio, la posibilidad de ejercerla, rechazó la idea, descalificándola como un «total despropósito».

En el proceso de acumulación de poder, los bolcheviques avanzaron de manera rápida sobre la libertad de prensa: entre las disposiciones de los primeros días se incluía el *Decreto sobre la Prensa*, que otorgaba al nuevo gobierno el derecho de sancionar a las publicaciones que se resistieran o se negaran a reconocer a las nuevas autoridades. Poco días más tarde, otro decreto establecía el monopolio estatal sobre la publicidad, contribuyendo a debilitar las bases financieras de la prensa opositora.

Al principio, las medidas represivas de los bolcheviques no parecieron más efectivas que las del Gobierno Provisional —los periódicos a los que se cerraba aparecían casi inmediatamente con otro nombre—, pero la confiscación de imprentas, sumada a la política represiva, determinaron que muchas publicaciones dejaran de aparecer. Las protestas de muchas prominentes personalidades de la cultura resultaron absolutamente inútiles. En defensa de las limitaciones a la prensa, uno de los dirigentes bolcheviques argumentó de esta manera: «La restauración de la autodenominada "libertad de prensa", esto es, el retorno de las imprentas a los capitalistas, envenenadores de la conciencia del pueblo, sería una imperdonable capitulación a los deseos del capital, la claudicación en uno de los aspectos más importantes de la revolución de los trabajadores y los campesinos.»

De cualquier manera, el ejercicio del poder por parte de los bolcheviques en el corto plazo estaba afectado por el hecho de que, unos días antes de ser derrocado, el gobierno de Kerensky finalmente había convocado elecciones generales para la conformación de una Asamblea Constituyente, e incluso también había anunciado que la misma se reuniría el 28 de noviembre. Ante la existencia de estas disposiciones, que respondían a una demanda generalizada de los partidos políticos durante los meses anteriores —demanda en la que estaban involucrados los mismos bolcheviques—, Lenin sostenía que en las condiciones que se daban en ese momento la convocatoria resultaba un compromiso muy poco conveniente, que ponía ciertamente en peligro el mantenimiento de los bolcheviques en el ejercicio del poder. Su argumento consistía en afirmar que la Asamblea Constituyente constituía la más alta forma de democracia dentro de una república burguesa, pero los soviets eran una forma superior de democracia, la única capaz de asegurar el paso al socialismo. No obstante, consideraba también que era mucho peor intentar frenar todo el proceso electoral, en el que los otros partidos de izquierda —especialmente los socialistas revolucionarios— confiaban para modificar la situación, marcada por la hegemonía de los bolcheviques, y en pos de ese objetivo se habían embarcado en una activa campaña electoral.

El resultado de las elecciones, que se extendieron desde el 12 hasta el 26 de noviembre, es considerado un elemento fundamental para pulsar la situación de Rusia en el momento en que se produjo la Revolución. Avala esta postura el hecho de que las elecciones han sido consideradas, tal vez no un ejemplo, pero por lo menos una manifestación razonablemente libre del sentir de la población. Se trató de comicios en los cuales votaron hombres y mujeres mayores de veinte años —Lenin intentó sin éxito rebajar la edad a dieciocho años—, y la participación electoral fue elevada, teniendo en cuenta las circunstancias.

Además de que la demanda de convocatoria de una Asamblea Constituyente era una bandera adecuada para levantar en la oposición pero dejaba de serlo luego de tomar el poder, los comicios justificaron la inquietud que tenía Lenin respecto de los resultados. Los socialistas revolucionarios obtuvieron el 40 por ciento del total, unos 17 millones de votos, frente a 10 millones, el 24 por ciento, de los bolcheviques. Los estudios realizados sobre la distribución del voto afirman que los vencedores reclutaron la mayor parte de sus adherentes entre los sectores campesinos, mientras que en las ciudades importantes los bolcheviques fueron los triunfadores. Traducido a escaños de la Asamblea Constituyente, el resultado fue peor para los bolcheviques, ya que de los 703 escaños, los socialistas revolucionarios obtuvieron 419, lo que les aseguraba la mayoría absoluta, mientras que los bolcheviques, incluso con el aporte de 40 diputados provenientes de los socialistas revolucionarios de izquierda, apenas llegaban a 208 escaños.

La situación era de una importancia crucial para quienes ejercían el poder: la realidad mostraba que había un rechazo importante a la gestión y al programa de los bolcheviques, aunque el apoyo alcanzado por ellos en los núcleos urbanos — el 45 por ciento del total de los votos en Petrogrado, el 48 por ciento en Moscú— desmiente la visión muy difundida entre los historiadores conservadores respecto de que quienes gobernaban carecían de todo sustento popular; el problema para los bolcheviques era que en el campo el dominio de los socialistas revolucionarios era abrumador, a pesar de que la política aplicada por los bolcheviques era la que respondía a sus demandas.

De cualquier manera, los planes de Lenin en relación con la Asamblea Constituyente estaban claros; por tanto, su acción se orientó hacia la búsqueda de la estrategia necesaria para inutilizarla. Los partidos de la oposición, por su parte, veían en ella la esperanza de desalojar a los bolcheviques; en algún momento pensaron en una rebelión, pero carecían de fuerzas para concretarla con éxito. Se organizó la Unión para la Defensa de la Asamblea Constituyente y un número significativo de manifestantes salió a la calle para apoyar la apertura de las sesiones, pero tropas controladas por los bolcheviques fueron encargadas de la represión, que totalizó diez muertos y una cantidad indeterminada de heridos.

El pulso fue entonces ganado por los bolcheviques, que disponían del monopolio de los instrumentos de poder, desde la policía al ejército. Por tanto, dado que la Asamblea finalmente se constituyó el 5 de enero de 1918, y la mayoría no bolchevique, aun bajo amenazas físicas, comenzó a actuar denunciando la acción de quienes se habían apropiado del poder en forma ilegal, la situación se tornó intolerable para el gobierno. Cuando los asambleístas llegaron el segundo día para continuar sus deliberaciones se encontraron con que el Palacio de Táuride, sede de la reunión, estaba cerrado y los soldados les impedían la entrada.

Lenin, que asistió a la primera sesión adoptando actitudes de indiferencia y desdén respecto de lo que estaba ocurriendo, terminó imponiéndose en toda la línea, entre otras razones porque la oposición careció de la firmeza y la falta de escrúpulos que caracterizaba a quien detentaba el poder. El decreto de disolución redactado por el mismo Lenin establecía que «toda renuncia a la plenitud del poder de los soviets y a la República soviética conquistada por el pueblo, en provecho del parlamentarismo burgués y de la Asamblea Constituyente, constituirían hoy un retroceso y el hundimiento de toda la revolución obrera y campesina de octubre». La idea de que en un período revolucionario la voluntad de la mayoría no necesariamente cuenta, ya que «hemos visto innumerables ejemplos de minorías que, mejor organizadas, más conscientes políticamente y mejor armadas, impusieron su voluntad a la mayoría y la vencieron», ya había sido expuesta por Lenin en julio de 1917, y no se trataba de mera retórica. En ese mismo artículo enfatizaba también que «la cuestión de la Asamblea Constituyente está subordinada a la cuestión de la marcha y el desenlace de la lucha de clases entre la burguesía y el proletariado», por lo que surgía con claridad que si, como él sostenía, la clase obrera había tomado el poder a través del Partido Bolchevique, reconocer la existencia de la Asamblea Constituyente en las nuevas condiciones era una decisión equivocada y peligrosa.

Por tanto, la disolución fue presentada como la victoria del pueblo explotado sobre la burguesía, la pequeña burguesía y sus representantes políticos; en el curso de estos aconteci-mientos se procedió también a prohibir por decreto las actividades del Partido Kadete, acusado de querer derrocar el poder revolucionario por medio de la Asamblea Constituyente. Se avanzó asimismo sobre la libertad política, restringiendo la actividad opositora. Los cargos utilizados para fundamentar la prohibición y el cierre de la prensa partidaria eran tan poco concretos como para poder acusar de contrarre-volucionario a cualquier partido que no fuera el bolchevique. Las cárceles se llenaron de «enemigos del pueblo», hasta el punto de que algunos delin-cuentes comunes fueron liberados para disponer de más espacio. De esta forma se fue concretando un primer objetivo de los bolcheviques: la exclusión de las clases altas de la sociedad tradi-cional y de la burguesía de la partici-pación política, circunstancia que fue oficialmente incorporada en la Cons-titución de la República Socialista Fede-rativa Bolchevique de Rusia, promul-gada en julio de 1918.

Simultáneamente, se intensificaron los ataques a la prensa, un proceso que, con vaivenes originados por la situa-ción interna y por el impacto interna-cional de los acontecimientos de Rusia, se desarrolló hasta mediados de 1918. A partir de ese momento desapareció la prensa independiente, incluyendo el periódico de Máximo Gorky, *Novaia zhisn*, al que ni siquiera su relación particular con Lenin sirvió para salvarlo y fue clausurado en julio de 1918. A los pocos días de concretada la toma del poder, Gorky ya había comenzado a lanzar ataques durísimos desde su periódico. En uno de sus primeros artículos, afirmó que «Lenin y los com-pañeros de armas creen que pueden cometer cualquier crimen, como la masacre de Petrogrado, la devastación de Moscú, la abolición de la libertad de palabra, las detenciones insensatas, en suma, todos los actos abominables que en su momento cometieron Plehve y Stolypin». En particular, su opinión sobre Lenin era lapidaria: «la clase obrera no puede entender que Lenin sólo está realizando una experiencia con su piel y con su sangre. Lenin no es un mago omnipotente, sino un frío embaucador que no está dispuesto a ahorrar sangre del proletariado».

Asimismo, también en esos mo-mentos de incertidumbre se adoptó otra medida de enorme importancia para el futuro, como fue la creación, por decreto del 7 de diciembre, de la *Che-ka*, nombre con el que se popularizó la Comisión Extraordinaria para la Lucha contra la Contrarrevolución y el Sabotaje, el nuevo órgano de seguridad que más tarde, y después de cambiar varias veces de nombre, se convertiría en la KGB. A su frente se colocó a uno de los bolcheviques más duros, el polaco Felix Dzerzhinski. Se trataba de la institución clave en la implantación del «terror» bolchevique, y ya desde sus primeros pasos mostró sus carac-terísticas particulares: no hubo un decreto que estableciera su organiza-ción; sólo figuraba en las actas secretas del Consejo de Comisarios del Pueblo y, aunque de hecho estaba subordinada a él, en la práctica actuó casi como un órgano parapolicial, liberado de cual-quier dirección política concreta. Si, por una parte, el II Congreso de los Soviets había abolido sin debate la pena de muerte, la *Cheka* procedía a fusilar sin dar cuenta prácticamente a nadie. Su responsable definía así sus funciones y métodos: «la Cheka debe defender la Revolución y vencer al enemigo, aunque su espada caiga ocasionalmente sobre cabezas inocentes». En algún momento, Lenin definió al organismo como «el principal defensor del poder soviético». Por supuesto, en estas condiciones la arbitrariedad era habitual: «casi cualquiera podía ser arrestado y casi cualquier actitud podía ser considerada comportamiento "contrarrevolucionario", desde el comercio privado hasta el retraso en el trabajo, pasando por la embriaguez o provocar disturbios en la vida pública. Conformada por una estructura que llegó a ocupar alrededor de 250.000 personas, tuvo sus propias oficinas y campos de concentración; de esta manera contribuyó a asegurar la supervivencia del régimen durante la época de la guerra civil. Pero el precio en términos humanos fue enorme: nadie ha podido determinar las cifras exactas de personas reprimidas y asesinadas por la *Cheka*, pero sin duda fueron cientos de miles.

La desaparición de las instituciones democráticas tuvo una enorme repercusión en los ámbitos socialistas dentro y fuera de Rusia. El estrecho vínculo que desde hacía mucho tiempo los socialistas establecían entre socialismo y democracia aparecía ahora cortado en nombre de la «dictadura del proletariado». Marx había hecho referencia ocasional a esta situación excepcional como tránsito hacia el comunismo, pero sin duda fue Lenin en el ya citado texto *El Estado y la Revolución* quien lo desarrolló como una etapa concreta

en la que se trataba de reprimir desde el poder los intentos contrarrevolucionarios.

En el interior del país la gama de reacciones fue muy amplia, y a ello nos referiremos más adelante, pero en el campo socialista internacional la impresión fue profunda y mayoritariamente negativa. Para citar sólo un ejemplo, la dirigente polaca Rosa Luxemburgo, defensora siempre de posiciones radicales, también se manifestó claramente en contra de las prácticas autoritarias implantadas por Lenin. En un famoso texto escrito a finales de 1918, en el que saludaba el advenimiento de la revolución en Rusia, sin embargo entre otras consideraciones afirmaba que, «sin elecciones generales, sin plena libertad de prensa y de reunión, sin un contraste libre de pareceres, la vida desaparece de todas las instituciones públicas, se convierte en una mera apariencia de vida, en la que el único elemento que permanece activo es la burocracia». Frente a una posición que pone en primer plano la necesidad de subsistencia de las instituciones democráticas, estas palabras de Lenin parecen constituir una respuesta personalizada: «sólo un tramposo o un imbécil puede pensar que el proletariado debe conseguir primero la mayoría de votos en una elecciones que se celebren bajo el yugo burgués, bajo el yugo de la esclavitud asalariada, y sólo después tratar de conseguir el poder».

Mientras tanto, en la calles de las ciudades rusas las tensiones se manifestaron bajo la forma de un incremento de la violencia, que se volcó en contra de los burgueses y aristócratas y de los símbolos de su poder. La igualación social fue un proceso que se desarrolló avalado por las autoridades, y los hasta hace poco integrantes de las clases dominantes vieron cómo sus privilegios desaparecían y sus propiedades se veían amenazadas. Muchos dirigentes bolcheviques defendieron la idea de que el sistema legal debía ser utilizado como un arma del terror de masas.

El tratado de Brest-Litovsk

Una vez resuelto el tema del control de la situación interna desafiado por la Asamblea Constituyente, el gran problema para los bolcheviques era sin lugar a dudas el de la guerra. No por casualidad el primer decreto promulgado por los revolucionarios de octubre había sido el de la paz. Lenin tenía claras las ideas en este tema: ya en ese decreto había escrito que «este gobierno consideraría como el peor crimen contra la humanidad la continuación de la guerra con el único fin de decidir cuáles de las naciones poderosas y ricas deberán dominar a las débiles». El llamamiento incluía un desafío al funcionamiento tradicional de la sociedad internacional, que se basaba en los gobiernos, postulando en cambio una relación de «nuevo tipo», protagonizada por los pueblos. Por supuesto, todas las negociaciones que se iniciaron en esos momentos estaban supeditadas a las expectativas que generaba entre los bolcheviques el estallido de la Revolución en Occidente, la casi certeza que tenían Lenin y los suyos respecto del futuro inmediato.

Ante el distanciamiento respecto de la Entente, que por supuesto le exigía el cumplimiento de los compromisos contraídos por el zarismo, el gobierno inició en el mismo mes de noviembre conversaciones con Alemania en Brest-Litovsk, las que tuvieron como primer resultado la firma a los pocos días de un armisticio en el que se establecía un *statu quo* territorial, permaneciendo ambos ejércitos en sus respectivas posiciones, a la espera de un acuerdo definitivo.

Trotski, comisario de Relaciones Exteriores, fue quién encabezó la delegación rusa junto con Adolf Ioffe —uno de los primeros dirigentes bolcheviques que se ocupó de cuestiones de política exterior—; se trataba de una negociación dura, en la que entre sus tareas estaba la de «hacer tiempo» aguardando lo que ocurría en la retaguardia de los países en guerra, por lo que Lenin consideró que Trotski era la persona ideal para esta tarea. Durante los primeros días, las maniobras dilatorias dieron algún resultado pero con rapidez los alemanes perdieron la paciencia y comenzaron a presionar. La idea que tenían era que finalmente su estrategia de apoyo a los bolcheviques estaba dando resultados positivos: un tratado de paz con Rusia les iba a permitir trasladar tropas hacia el frente occidental, y en los meses siguientes el alto mando alemán pensaba que podría entonces hacer un último esfuerzo para inclinar la balanza de manera definitiva en su favor. Además de eso, el notable desequilibrio de fuerzas que existía en favor de Alemania frente al desarticulado ejército ruso les iba a permitir obtener una importante porción del territorio del antiguo imperio zarista en carácter de colonia, volviendo a colocar en un plano destacado la expansión hacia el este, uno de los objetivos fundamentales de la política alemana.

Por tanto, en los primeros días de enero los alemanes lanzaron un ultimátum con sus exigencias: Polonia, Lituania, Bielorrusia y la mitad de Letonia debían permanecer en sus manos, y los rusos tenían un plazo de diez días para contestar. Por otra parte, el alto mando también estaba en negociaciones con las nacionalistas ucranianos, la mayor parte de los cuales preferían la subordinación económica a Alemania a la dependencia de Petrogrado.

La propuesta alemana dividió a los dirigentes bolcheviques: Lenin defendió desde un principio la posición de firmar el tratado en las condiciones dictadas por los enemigos —para él lo primordial era salvar la Revolución— conformando lo que se definió como la «teoría de la tregua». Tomando distancia respecto de posiciones sostenidas antes del triunfo de octubre, el líder bolchevique mostró cautela respecto de impulsar inmediatamente una «guerra santa» destinada a llevar la revolución fuera de las fronteras de Rusia, y en esta postura moderada tuvo el apoyo de los sectores moderados del partido, como Zinoviev y Kamenev.

Por su parte, una mayoría, liderada por uno de los más brillantes teóricos del partido, el joven Nicolai Bujarin, que constituyó la llamada Izquierda Comunista[23], se mostró decidida a iniciar una guerra revolucionaria contra el Imperio Alemán, pensando que de esta manera se favorecía lo más importante, el alzamiento revolucionario en

Occidente. Desde la perspectiva de estos dirigentes de posturas radicales, justamente la situación internacional a principios de 1918 hacía pensar que la revolución socialista una vez iniciada se iba a extender por el mundo de forma incontenible. Por tanto, la idea de una paz separada constituía «una herida devastadora» para las posibilidades de la Revolución. En las palabras del mismo Bujarin, si se firmaba la paz «emergía la posibilidad de que triunfara una tendencia desviacionista en la mayoría del Partido Comunista y del gobierno soviético (...) hacia políticas pequeño-burguesas de un nuevo tipo». Finalmente, había una tercera posición, más sofisticada, cuyo principal defensor era Trotski, quien planteaba una posición intermedia resumida en la expresión «ni paz ni guerra», que significaba dejar de luchar sin firmar el tratado.

Las discusiones en el Comité Central fueron duras: frente a las amenazas del gobierno alemán, la mayoría dispuesta a desencadenar la guerra era importante, por lo que a pesar de pensar que la idea de Trotski era un «ejemplo de teatralidad en política internacional», Lenin optó por apoyarla como mal menor, logrando imponer una resolución que la adoptaba como posición oficial. Por tanto, Trotski retornó a Brest-Litovsk con esa consigna, lo que implicaba además prolongar las conversaciones todo lo que fuera posible. Tras tres semanas sin definición, los alemanes, fortalecidos por el tratado de paz firmado por separado con la Rada ucraniana, pusieron como

---

[23] La Izquierda Comunista también se oponía a la política leninista de reparto de la tierra en forma individual, considerando que iba

a crear graves problemas económicos y sociopolíticos en el futuro.

tope para la firma del acuerdo la fecha del 10 de febrero. Ante esa situación, Trotski anunció para sorpresa del mundo que Rusia reconocía la derrota y declaraba su intención de no seguir combatiendo, pero al mismo tiempo se negaba a aceptar los términos del vencedor para acabar con la guerra.

Una vez asimilada la sorprendente respuesta de los bolcheviques, que sin duda constituía una ruptura respecto de las prácticas usuales dentro de las relaciones internacionales, los alemanes decidieron lo que era previsible: dado que el armisticio había concluido y las conversaciones se cerraron sin resultado positivo, seguían en guerra con Rusia y entonces anunciaron la reanudación de las hostilidades para el día 18 de febrero. Ante la proximidad del desastre, nuevamente el Comité Central votó en contra de Lenin —6 a 5, con varias abstenciones—, pero ahora a favor de una nueva propuesta de Trotski que consistía en esperar para firmar el acuerdo que la ofensiva alemana fuera un hecho y no surgiera como respuesta una oposición revolucionaria contra la misma en el pueblo alemán. Con Trotski votó, entre otros, Bujarin, y a favor de la postura de Lenin estuvieron Stalin y Sverdlov. Todavía las discusiones se prolongaron un día más, mientras los alemanes reiniciaban su avance sobre territorio ruso, hasta que Lenin logró, por un estrecho margen de 7 a 5 (y cuatro abstenciones), y con el apoyo en el último momento de Trotski, que se aceptaran los términos del tratado impuestos por Alemania. Tras algunas alternativas —en algún momento se llegó a pensar que los alemanes habían decidido llegar en su avance hasta la misma Petrogrado— el tratado fue finalmente firmado el 3 de marzo. Tan humillante era el mismo que nadie quería acudir a Brest-Litovsk a afrontar esa situación. De acuerdo con sus términos, Rusia renunció a la mayor parte de sus territorios en el continente europeo. Polonia, Finlandia, Estonia y Lituania recibieron una independencia nominal bajo protección alemana. Asimismo, las tropas soviéticas tenían que ser evacuadas de Ucrania. En total, se entregó el 34 por ciento de la población, el 32 por ciento de las tierras de cultivo, el 54 por ciento de las empresas industriales y el 89 por ciento de las minas de carbón; del Imperio zarista en Europa quedaban sólo vestigios.

Las consecuencias políticas de la firma del tratado fueron también significativas. En principio, la situación estuvo a punto de generar una escisión dentro del partido: los integrantes de la Izquierda Comunista, encabezados por Bujarin, se retiraron inicialmente del Comité Central y del *Sovnarkom*, mostrando, a pesar de que al poco tiempo retornaron, que había un descontento amplio respecto del rumbo global de la revolución. A su vez, también los socialistas revolucionarios de izquierda se retiraron del gobierno, en este caso de manera definitiva, porque pensaban que si no se firmaba el tratado y se concretaba la invasión alemana iban a producirse levantamientos campesinos espontáneos contra el invasor extranjero.

Sin embargo, de las discusiones emergió también la imagen de un Lenin reforzado en sus posiciones, caracterizadas por el realismo, por lo menos en cuanto a que en las condiciones dadas era imposible resistir a la invasión alemana y simultáneamente sostener la Revolución. Compartía la visión de la izquierda del partido en el tema de la revolución mundial, pero tenía claro que lo fundamental en ese momento era preservar los logros alcanzados por los bolcheviques. Suponer además, como lo hacían los socialistas revolucionarios, que sin organización los campesinos rusos iban a cerrar el paso a las tropas del Reich era moverse en el resbaladizo camino de una ilusión sin demasiados fundamentos.

En el curso de la crisis, ante el peligro de que Petrogrado fuera ocupada por los alemanes, se decidió el traslado de la capital a Moscú, lo que para muchos fue el símbolo del apartamiento de Rusia respecto de Europa occidental, y también el comienzo del fin de la «revolución permanente». Aunque durante dos o tres años más Lenin siguió pensando (y operando) seria y esperanzadamente en la posibilidad de exportar el socialismo —y para ello, como veremos, creó en marzo de 1919 la III Internacional—, lo cierto es que un análisis desapasionado muestra que después de Brest-Litovsk las bases de la doctrina que luego se denominó «socialismo en un solo país» estaban sentadas. Por otra parte, la mudanza, realizada en secreto en la noche del 10 de marzo, daba cuenta del aislamiento del gobierno, ya que se quería evitar que se enteraran de la misma los obreros de Petrogrado e intentaran impedirla. El tren que transportaba a los principales dirigentes salió de la estación con las luces apagadas, y se afirma que entre los viajeros se incluyeron miembros del Partido Socialista Revolucionario, con el objeto de que constituyeran un reaseguro respecto de cualquier posible atentado terrorista.

La firma del Tratado de Brest-Litovsk tuvo otras repercusiones de importancia, una de las cuales fue la presencia de los anteriores aliados de la Entente en territorio ruso. El gobierno soviético había consumado su ruptura con estos países al repudiar la deuda externa del Imperio zarista. En el mismo mes de marzo de 1918, franceses e ingleses enviaron tropas al puerto de Murmansk en el océano Ártico, y más tarde al de Arcángel situado en el mar Blanco; el objetivo inmediato era defender el material de guerra acumulado allí desde 1916 contra la posible amenaza alemana, pero evidentemente podía constituir —y de hecho fue así— la cabeza de puente de fuerzas de apoyo a quienes en el interior empezaron a actuar en contra del régimen bolchevique; no obstante, también es cierto que en los momentos previos a la firma del tratado hubo algunas operaciones por parte de Francia destinadas a la organización de las fuerzas mili-

Stalin.

tares bolcheviques; de esta manera se trataba de intentar un acercamiento real que llevara a éstos a continuar la guerra, o por lo menos a no incrementar su vinculación con los alemanes. En abril, los japoneses enviaron un contingente a Vladivostok para apoyar a sus aliados, pero sobre todo con el objetivo de establecer su presencia en el extremo oriental de Rusia, con la mirada puesta en una futura anexión.

La toma de conciencia respecto de su debilidad exterior condujo a Lenin a la puesta en marcha de una política coyuntural de acercamiento a Alemania, y a la decisión de arbitrar los medios necesarios destinados a la conformación de un ejército regular.

La reanudación de relaciones con el Reich tuvo un componente oficial, que incluyó el intercambio protocolar de embajadores, pero también otro aspecto menos conocido: en la medida que a un sector significativo del gobierno de Alemania le interesaba mantener a los bolcheviques en el poder, le suministró ayuda monetaria para contribuir a evitar el derrumbamiento que amenazaba como consecuencia del caos posrevolucionario; se trataba de la continuidad de la conocida relación que se había iniciado durante la guerra. Una carta de Lenin de agosto de 1918, hecha pública tras la apertura de los archivos soviéticos, muestra de manera inequívoca el conocimiento que tenía de estas aportaciones alemanas: dirigiéndose a Ya. A. Berzin, representante político bolchevique en Berna, le pidió que continúe con la publicación y distribución de material de propaganda, dado que «los berlineses van a mandar algún dinero más: si el envío se demora, sírvase informarme formalmente».

A su vez, los revolucionarios instalaron su embajada en Berlín para neutralizar a quienes en el gobierno y el ejército alemán querían acabar con ellos, y también para impulsar la acción de la izquierda alemana de cara a la concreción de la revolución que los bolcheviques consideraban como fundamental para su propia supervivencia.

La guerra civil

Los enfrentamientos que se produjeron tras la revolución constituyen un proceso de enorme complejidad tanto en los variados componentes que la conformaron, que dificulta en extremo su narración, como en el análisis de sus variados aspectos.

Los historiadores debaten aún hoy respecto de cuál fue el momento en que dio comienzo la guerra civil. En principio, es evidente que, desde el mismo momento en que se efectuó la toma del poder por parte de los bolcheviques, los sectores civiles y militares que guardaban lealtad al zarismo, y grupos que se oponían a la «aventura» de Lenin y los suyos, estuvieron dispuestos a actuar para acabar con ellos. A partir de esta realidad existe una corriente que insiste en el argumento de que la guerra civil comenzó en el mismo mes de octubre de 1917.

Para quienes sostienen esta postura, esta fase inicial se prolongó hasta marzo-abril de 1918 y consistió sobre todo en la represión por parte de los bolcheviques de alzamientos de diferentes grupos cosacos organizados en la zona de los Urales y en la región del

Don. La decisión del *Sovnarkom* de proceder a la organización del Ejército Rojo, adoptada el 23 de febrero de 1918, cuyo embrión era la militante Guardia Roja (protagonista de los sucesos de octubre), se vincula sin duda con toda la serie de peligros que desde el exterior acechaban a la Revolución, pero fue acelerada por la renovada importancia que fueron adquiriendo los problemas de subversión en el interior.

En este tema de las reacciones de oposición a lo acontecido en octubre, las previsiones de Lenin se mostraron particularmente erróneas, ya que muy poco tiempo antes de estallar la guerra civil con toda su fuerza sostenía que la tarea de terminar con la resistencia «de los explotadores» a la revolución había culminado en febrero de 1918; en efecto, en un comunicado de prensa de esa fecha afirmaba que «la mayoría de los soldados, obreros y campesinos, tanto de la nación rusa como de otras naciones que antes integraban Rusia por la fuerza y que ahora son parte de la libre República rusa, han reconocido el poder soviético. Nos espera una breve lucha contra los lamentables restos de las tropas contrarrevolucionarias. (...) Y ahora, cuando cae el último baluarte de la contrarrevolución, podemos decir con seguridad que el poder soviético comienza a consolidarse y se consolidará».

En contraposición a la postura a la que acabamos de hacer referencia, en la actualidad hay un consenso bastante amplio respecto de la idea de que, aunque estos y otros antecedentes la estaban anunciando, la guerra civil propiamente dicha comenzó más tarde, a lo que se agrega el planteamiento de que es más preciso hablar de que existieron dos guerras civiles distintas: 1) la que se inició en mayo de 1918 con la actuación de la Legión Checa, que permitió a grupos opositores a los bolcheviques, como los socialistas revolucionarios, disponer de una fuerza militar para enfrentarlos, y culmina hacia finales de 1918; 2) la guerra civil entre los «rojos» y los «blancos» —la etapa «convencional» de la guerra civil—, que abarcó desde los últimos meses de 1918 hasta finales de 1920.

Quedan fuera de esta caracterización los numerosos y masivos (aunque descoordinados) alzamientos campesinos que emergieron como un desafío para los bolcheviques, entre los que sin duda se destacan el movimiento Makhnovista en regiones de Ucrania y la rebelión de Tambov liderada por Alexander Antonov, los que serán objeto de un tratamiento aparte.

El problema ocasionado por la Legión Checa fue una demostración de la inestable posición de quienes habían tomado el poder en octubre de 1917. Se trataba de una organización militar creada por nacionalistas checos que trabajaban en el interior de Rusia como aliados, la que además se vio engrosada por la llegada de prisioneros checos y eslovacos, hasta conformar una fuerza de alrededor de 35.000 hombres. Cuando se produjeron los acontecimientos de Brest-Litovsk, los integrantes de la Legión planearon continuar su lucha como parte de las fuerzas checas que combatían en Francia, para lo cual decidieron salir de Rusia por Vladivostok pasando a Estados Unidos y de allí retornar a Europa.

Consiguieron permiso para viajar armados en el Ferrocarril Transiberiano, pero en el curso del viaje se produjeron incidentes con los soviets de las localidades que atravesaba el tren que los transportaba, los que culminaron a finales de mayo en enfrentamientos que mostraron la debilidad y mala organización de las milicias bolcheviques. Su éxito militar fue considerable: en un lapso de no más de cuatro meses pasaron a controlar un vasto territorio situado al este del Volga.

Ante la reacción desmesurada del gobierno central, los hombres de la Legión —que simpatizaban mayoritariamente con el socialismo— terminaron transformándose en una fuerza temible que apoyó en algunas regiones a quienes, desde un arco político amplio que iba desde sectores liberales hasta socialistas revolucionarios —especialmente éstos—, intentaban derrocar a los bolcheviques. El caso de Samara —la ciudad situada en la región del Volga en la que Lenin residió durante un tiempo en su juventud— es el más relevante, ya que el gobierno que se instaló allí, el Comité de Miembros de la Asamblea Constituyente (*Komuch*), era una organización liderada por los socialistas revolucionarios con intenciones de establecer un ámbito político alternativo al poder bolchevique. De hecho la Legión se mantuvo operando en territorio ruso hasta que en octubre de 1918 el Congreso Nacional Checoslovaco anunció en París la independencia del país, tras lo cual sus integrantes se marcharon abandonando a sus aliados. En ese mismo mes cayó Samara en manos del Ejército Rojo, aunque ya el Komuch había delegado sus poderes en el Gobierno Provisional de Rusia, único intento —breve, ya que sólo duró alrededor de ocho semanas— de crear un gobierno civil antibolchevique.

Los primeros meses de la revolución también dieron lugar a un incremento de otras formas de oposición interior al gobierno de los bolcheviques, originada en el desbarajuste económico que afectó al conjunto de la sociedad rusa. Los testimonios respecto de este último son abundantes: la deserción masiva que antecedió a la desmovilización, los repartos de tierra que llevaron a cabo espontáneamente los campesinos, incluso antes del decreto sobre la tierra; la desorganización productiva que se verificó como consecuencia de una situación en la cual la mayor parte de los empresarios desaparecieron de la escena; los enormes problemas que se manifestaron en el sistema de transportes; la pérdida de control por parte del Estado de vastas extensiones de territorio, fueron todos elementos que contribuyeron a que el deterioro de la situación alcanzara niveles muy superiores a las ya críticas circunstancias que se vivieron durante la guerra. El hambre arrasó las ciudades, contribuyendo más que ningún otro factor a socavar el precario apoyo que tenían los bolcheviques. La respuesta de éstos frente a un problema de tamaña magnitud fue, después de marchas y contramarchas, la puesta en escena de una política de requisas masivas de grano —parte, como veremos, del llamado «comunismo de guerra»—, acompañada de un intento de restaurar la autoridad en el campo, fuertemente afectada por el descontrol que se produjo después de los acontecimientos de octubre (y que en muchas regiones, como se ha dicho, ya se había iniciado con anterioridad). Para implantar esta estrategia los bolcheviques contaron con apoyos provenientes sobre todo de soldados licenciados que retornaban a su aldea, a los que se adoctrinaba para enfrentarse a los campesinos propietarios de extensiones de tierra de alguna importancia. La actitud de Lenin en este tema es conocida a partir de algunos documentos que han salido a la luz como consecuencia de la apertura de archivos realizada en la década de 1990. Uno de ellos transcribe las directivas que envió a camaradas de la región de Penza en relación con el tratamiento que debía darse a los campesinos ricos: «1. Hay que colgar (a la vista del pueblo) a un centenar de kulaks conocidos, hombres ricos, chupasangres. 2. Publicar sus nombres. 3. Expropiarles todo el grano. 4. Tomar rehenes.»

En ese escenario marcado por la violencia ejercida desde el poder se produjo una reacción particularmente dramática: a la vista de la negación de los bolcheviques a abrir cauces a alguna forma de representación democrática, se produjo el retorno de la acción directa por parte de sectores de los socialistas revolucionarios. Un militante de este partido, de apellido Blumkin, asesinó el 6 de julio de 1918 al conde von Mirbach, embajador de Alemania, y en esa fecha se desencadenó un alzamiento en el que participaron militantes socialistas revolucionarios, algunos soldados e incluso un destacamento rebelde de la *Cheka*. El intento fue conjurado sin mayores dificultades en Moscú, pero la situación seguía siendo inestable. A finales del mes de agosto, en ocasión de una reunión obrera realizada en una fábrica, en la que Lenin tuvo una corta intervención, una joven judía, también militante socialista revolucionaria, Fanny Kaplan, atentó contra Lenin, hiriéndolo de bala en el omóplato y el cuello. Atrapada inmediatamente, declaró que la idea había sido solamente suya; en su confesión escribió que «hace ya tiempo que decidí matar a Lenin; lo considero un traidor a la Revolución». A pesar de la actitud de la protagonista declarándose culpable, con el tiempo surgieron ciertas dudas respecto de la autoría y las motivaciones del atentado, pero la manera de resolver el asunto fue concluyente: la acusada fue fusilada el 3 de septiembre sin proceso y sin publicidad, mostrando los niveles de arbitrariedad que estaba alcanzando la represión bolchevique.

En los meses centrales de 1918 se concretaron otras manifestaciones de esa estrategia destinada a consolidar una política de terror, incluso antes de que oficialmente se implantara el «terror rojo», lo que ocurrió el 5 de septiembre, muy poco después del atentado contra Lenin. Sin duda, el acontecimiento de mayor repercusión internacional se produjo un poco antes, en el mes de julio, y fue el asesinato de la familia real —además del zar, su mujer y los cinco hijos del matrimonio—, que estaba detenida en la zona de los Urales. La información oficial la dio el Comité Central sosteniendo que el Soviet de Iekaterimburgo, al descubrir la existencia de un amplio complot destinado a rescatar a Nicolás II, había ordenado su ejecución en la noche de 16 al 17 de julio. El debate que ha generado posteriormente el asesinato se centró sobre todo en averiguar si la decisión del fusilamiento había partido de las altas esferas del partido. Si bien está muy claro que Lenin a lo largo de su vida había mostrado de cien maneras diferentes su odio al último monarca de la dinastía Romanov, lo está algo menos, aunque hay indicios significativos, respecto de si efectivamente fue él quien en esos momentos de peligro —la Legión Checa estaba a pocos kilómetros de donde se alojaba la familia real— dictó la orden de matarlos a todos o si, simplemente, una vez producido el hecho se limitó a avalar lo ocurrido. En el mismo día en que se produjo el asesinato, ante los rumores que circulaban en Europa occidental respecto de que la familia real ya había sido ejecutada, Lenin mismo envió un telegrama a un periódico danés desmintiendo todos los rumores, atribuyéndolos a «mentiras de la prensa capitalista». De cualquier manera, parece plausible sostener que una operación de esa importancia no pudo haber sido organizada y ejecutada por militantes de segundo orden operando por su cuenta, por lo que Lenin o algún otro dirigente importante dieron la orden o manifestaron su aprobación al magnicidio.

La implantación del «terror rojo» sin duda tiene su lógica en las pautas de comportamiento de Lenin y los bolcheviques frente a las múltiples amenazas que se cernían sobre su gobierno, pero también aparecía como la manifestación de una voluntad de terminar con los privilegios propios del zarismo, que formaban parte fundamental de las expectativas de quienes habían impulsado la revolución social y estaban dispuestos a llevarla hasta sus últimas consecuencias. Las manifestaciones de odio y vandalismo que venían de las clases subalternas constituyeron la base a partir de las cuales se instauró la violencia oficial. En una ocasión, cuando se discutía en Moscú la posibilidad o no de someter a los acusados a alguna forma de justicia por medio de tribunales, preservando su derecho a la defensa, un obrero opinó de esta manera contundente: «Yo me metería en la casa e iría directamente a ver que hay en los calderos: si lo que hay es carne, se trata de un enemigo del pueblo y es necesario llevarlo al paredón.»

Además, la masiva represión gubernamental también debe explicarse a partir del desencadenamiento de la guerra civil, con su exacerbado despliegue de salvajismo, fruto de la voluntad reivindicativa de unos y de la ignorancia de otros. El resultado fue que el «terror rojo» se transformó en un elemento constitutivo del régimen bolchevique en esos años de violencia indiscriminada.

Una parte fundamental del control que los bolcheviques ejercieron sobre la sociedad se manifestó en el tema de la libertad de prensa; ésta, ya fuertemente restringida en los meses anteriores, dejó de existir. Las publicaciones de la oposición fueron prohibidas, a pesar de que en algunas ocasiones en esos primeros años se hicieron intentos aislados de evadir las prohibiciones publicando en condiciones muy precarias.

El período más característico de la guerra civil fue, como se ha indicado, el que enfrentó al Ejército Rojo con los llamados «generales blancos», grupo de oficiales zaristas con mando de tropa que a partir de los últimos meses de 1918 se transformaron en un serio peligro para los bolcheviques. Por supuesto, habría que agregar la ya citada intervención extranjera, que se manifestó no sólo en la ocupación de territorio —en algún momento de 1918 había en territorio del antiguo Imperio tropas de por lo menos ocho países— sino también en el apoyo monetario y en la entrega de material bélico a los grupos contrarrevolucionarios, que se desarrolló con significación creciente a partir de la finalización de las hostilidades en Europa.

El enfrentamiento se desarrolló en todo el territorio del Imperio, desde el Báltico hasta el Pacífico, pero las tres principales áreas de lucha estuvieron en el sur —la región del Don, Ucrania, el norte del Cáucaso—, en el este —la zona del Volga, los Urales y Siberia— y en el noroeste —la región del Báltico y Polonia.

Las características del conflicto fueron muy diferentes respecto de la guerra de trincheras que se desarrolló contemporáneamente en Europa. Las tropas estaban en continuo movimiento y los frentes eran permeables, ya que muchas veces un limitado número de tropas tenía que proteger una zona a lo largo de cientos de kilómetros.

A los efectos de su estudio, podemos identificar tres períodos diferentes: el primero, que abarca hasta noviembre de 1918 y se superpone con el episodio de la Legión Checa, fue el de organización de la campos hostiles, de la primera ola de intervención extranjera y de la conformación de grupos armados independientes que se fueron enrolando en las guerrillas o en la milicia regular. El segundo se extiende desde noviembre de 1918 hasta finales de 1919, fue el momento en que el general Anton Ivanovich Denikin en el sur, el almirante Alexander Kolchak en Siberia y el general Nikolai Yudenich en la región del Báltico, pusieron en peligro la supervivencia del estado soviético, pero no más allá del mes de noviembre de 1919 fueron derrotados. El tercero se extiende durante un año largo a partir de principios de 1920, caracterizado por el abatimiento de lo que quedaba de las fuerzas antibolcheviques y el avance de las tropas soviéticas hacia las zonas periféricas. Las últimas tropas «blancas», comandadas por el general Peter Wrangel —sucesor de Denikin—, abandonaron el territorio, junto con las francesas y británicas, hacia finales de 1920, y la guerra civil finalizó a principios de 1921 con la conquista de Georgia y el tratado de paz con Polonia; en este último caso tras el vano intento de expandir la Revolución por la vía del avance del Ejército Rojo.

Durante los meses centrales de 1919 se produjeron las acciones decisivas en los distintos frentes, involucrando a centenares de miles de soldados regulares; los avances iniciales de los «blancos» hicieron pensar a muchos que su victoria estaba próxima. En algún momento, las tropas del general Denikin llegaron a estar a menos de 400 kilómetros de Moscú, y las de Yudenich a no más de 30 kilómetros de Petrogrado. En particular, la campaña de este último estuvo a punto de alcanzar el éxito a mediados de octubre de 1919, contando sus tropas con el apoyo británico. Sin embargo, en el instante decisivo Yudenich mostró toda la incapacidad de los «blancos» para alcanzar el éxito: ante la posibilidad de asegurar el triunfo contando con el apoyo del ejército de Finlandia, una parte del cual estaba situado frente a Petrogrado, se negó a aceptar la condición impuesta por el gobierno del flamante estado para intervenir: el reconocimiento de la independencia del país, algo que ya habían hecho los bolcheviques y la mayor parte de las potencias occidentales. La idea de que había que restaurar el imperio zarista en su totalidad privó a los «blancos» de un éxito más que posible.

Por otra parte, en vísperas de su ofensiva, ante la posibilidad de la victoria, el general blanco lanzó una declaración afirmando que su gobierno representaba a las diferentes clases de la sociedad, que repudiaba el zarismo y que garantizaría los derechos de los campesinos a la tierra y la jornada de ocho horas a los trabajadores. Pero ya era tarde, y a pesar de que ante el peligro Lenin se manifestó en algún momento dispuesto a entregar Petrogrado la presión de Trotski lo llevó finalmente a enviar órdenes destinadas a defender la antigua capital hasta «la última gota de sangre»; finalmente, el Ejército Rojo se organizó y rechazó el ataque.

Las razones del triunfo del Ejército Rojo son varias, y existe en general consenso entre los estudiosos sobre el tema: por una parte, los Rojos contaban con una dirección unificada, mientras que los Blancos constituían ejércitos que actuaban a gran distancia unos de otros, sin ninguna coordinación. Además, el Ejército Rojo disponía de mayor armamento, contaba con una gran ventaja en cuanto a la posibilidad de reclutamiento —ocupaban la zona más densamente poblada— y, en definitiva, conformó un ejército mucho más numeroso y étnicamente homogéneo. Finalmente, hay que decir también que, salvo el pronunciamiento citado de Yudenich, los Blancos carecieron de un proyecto político en condiciones de suscitar el apoyo de las poblaciones que estaban bajo su control. Por el contrario, el «Terror blanco» —represión contra los campesinos, pogromos antijudíos— resultó un factor decisivo, ya que volcó a favor de los bolcheviques el apoyo de campesinos que huían de los saqueos de los cosacos al servicio de los «blancos» y terminaron considerando a los rojos un mal menor.

Uno de los temas más controvertidos en relación con la guerra civil es el de la intervención extranjera. Si bien hay importantes diferencias en los matices, existe una coincidencia básica respecto de que si no fuera por la asistencia militar recibida por los Blancos, su derrota se hubiera producido mucho antes. Una vez realizada esta afirmación, se puede avanzar en dos más, de aceptación mayoritaria entre los estudiosos del tema: 1) no puede verificarse la existencia de una acción concertada entre los países que intervinieron en Rusia; 2) excepto el caso de Gran Bretaña, no hubo gobierno extranjero que se propusiera derrocar a los comunistas.

En la etapa de la Guerra Civil anterior a la finalización de las hostilidades en Europa, el propósito de los países de la Entente fue el de reactivar el frente oriental, con la ayuda de los bolcheviques si ello fuera posible, sin su participación si fuera necesario. Espionaje, propaganda y apoyo a quienes suponían que podían actuar a favor de sus objetivos. Una vez producido el derrumbamiento de Alemania y sus aliados, la intervención perdió ese carácter: muy poco tiempo más tarde Estados Unidos y Francia se retiraron; Japón se mantuvo un tiempo más debido a que tenía la aspiración de aprovechar el caos interior de Rusia para apoderarse de las provincias marítimas situadas en el extremo oriental, por lo que sólo quedó Gran Bretaña apoyando a los ejércitos «blancos». Su ayuda consistió sobre todo en pertrechos militares e instructores, siendo su principal beneficiario el almirante Kolchak; en alguna ocasión, tropas de combate británicas atacaron objetivos navales «rojos», y también operaron tanques.

El impacto de la guerra civil sobre el régimen fue enorme, y en muchos aspectos condicionó de manera casi decisiva su evolución. Por una parte, dio por tierra con las ilusiones de quienes las tenían, que no eran pocos, respecto de que la Revolución podía abrir rápidamente el camino hacia el «reino de la igualdad»; el salvajismo de la confrontación, que tuvo mucho de lucha de clases, pero también de reacción de corte nacionalista, o de simple anarquía incontrolable protagonizada por campesinos que se levantaron contra lo que entendían era la opresión secular del Estado, estuviera quien estuviera al frente de éste, mostró hasta qué niveles llegaba al atraso de la sociedad rusa. Pero, además, sirvió para poner en primer plano las tenden-

cias autoritarias que caracterizaban a Lenin y a los bolcheviques, manifestadas prácticamente desde el surgimiento a principios de siglo del Partido Obrero Socialdemócrata Ruso. Quienes habían protagonizado la Revolución de Octubre estaban dispuestos a remodelar la sociedad de acuerdo a sus ideas, y cuanto más compleja se presentaba la tarea en mayor medida se reclamaba disciplina, a pesar de que las marchas y contramarchas daban cuenta de que lo que dominaba sobre todo era la improvisación.

La evaluación de las pérdidas humanas producidas por la guerra civil parte de una caracterización que no puede discutirse: en esos años hubo un cataclismo social; la vida cotidiana se brutalizó hasta extremos inimaginables. Sin embargo, como consecuencia de que se libraba una batalla a muerte entre un nuevo orden social que quería consolidarse y el viejo, que resistía y se negaba a desaparecer, las manifestaciones de idealismo y entrega heroica también se manifestaron en los dos bandos. Las vivencias de V. Poliansky, un joven bolchevique, constituyen un ejemplo de la manera como algunos atravesaron esa etapa dramática: «vivíamos en una atmósfera de romanticismo revolucionario, cansados, exhaustos pero alegres, contentos, nuestro pelo despeinado, sucios, desaliñados, pero esperanzados y limpios en corazón y mente».

Los cálculos relativos a la evolución de la población simplemente asustan: la población de Rusia entre 1917 y 1922 disminuyó alrededor de 12,7 millones de personas, de los que sólo una parte corresponde estrictamente a la guerra civil. Las pérdidas experimentadas por las fuerzas soviéticas han sido objeto de evaluaciones muy variadas, pero las estimaciones actuales tienden a oscilar alrededor de la cifra de 1.200.000 muertos, los que se elevan a 2.500.000-3.200.000 si se agregan las bajas sufridas por los «blancos». A estas cifras habría que agregar alrededor de dos millones de víctimas de enfermedades —tifus, disentería, viruela, etc.—, lo que dio lugar a que Lenin en algún momento advirtiera que «o los piojos vencen al socialismo o el socialismo derrota a los piojos». El escritor Boris Pasternak, premio Nobel de Literatura, escribió refiriéndose a esos años que «incluso el aire olía a muerte».

La finalización de la guerra civil planteó una serie de problemas nuevos también en el terreno económico para quienes ejercían el poder. Habiendo triunfado, dejaban de justi-

Rosa Luxemburgo.

ficarse las duras medidas económicas que se habían impuesto sobre la sociedad en los tres años anteriores con el argumento de que eran imprescindibles para apuntalar el esfuerzo bélico. Cuando el Ejército Rojo fue desmovilizado, los soldados que retornaban del servicio militar se encontraron con que no había trabajo ni en las industrias devastadas ni en el campo, por lo que muchos se dedicaron al bandidaje.

Para hacer aún más dramática la situación, en el tránsito del año 1920 a 1921 hubo un invierno extremadamente duro: murieron veintidós millones de cabezas de ganado y diez millones de personas vivieron al borde de la inanición; se calcula que el número total de muertos por hambre y enfermedades llegó hasta los seis millones. La amplia represión ejercida por el gobierno agravó aún más la situación, produciendo víctimas en cantidad inusual. Así nos aproximamos a la cifra de más de doce millones y medio de muertos que se baraja en la actualidad.

La cuestión nacional

El estallido de la revolución tuvo consecuencias imprevisibles en casi todos los ámbitos; superando claramente los intentos de Lenin de controlar la situación «desde arriba», a las pocas semanas el antiguo imperio zarista se desintegró, despreocupándose los protagonistas por la modalidad específica a través de la cual ejercían su derecho a la autodeterminación; simplemente se limitaron a concretar en los hechos su voluntad de separarse.

El juicio de Rosa Luxemburgo respecto de la política adoptada por Lenin con relación a la cuestión nacional es muy duro, aunque también peca de algo exagerado: «Está claro que Lenin y sus amigos esperaban que al transformarse en campeones de la libertad hasta el punto de abogar por la "separación" harían de Finlandia, Ucrania, Polonia, Lituania, los países bálticos, el Cáucaso, etc., fieles aliados de la Revolución Rusa. Pero sucedió exactamente lo contrario. Una tras otra, estas "naciones" utilizaron la libertad recientemente adquirida para aliarse con el imperialismo alemán como enemigos mortales de la Revolución Rusa y, bajo la protección de Alemania, llevar dentro de la misma Rusia el estandarte de la contrarrevolución.»

Desde luego, el sentimiento nacionalista era extremadamente variable entre las principales nacionalidades no rusas, así como lo era también su estructura social. Estas situaciones en muchos casos poco comparables determinaron que se verificaran procesos particulares en cada ámbito, en algunos de los cuales se concretó además la presencia de potencias extranjeras apuntalando estas posiciones.

Las dos principales realidades que culminaron en separación se verificaron en Polonia y Finlandia, y aun cuando constituyen casos diferentes, están vinculados por el hecho de la importancia de la intervención alemana.

Como consecuencia de la guerra y la ocupación por parte de las tropas del Reich, Polonia estaba prácticamente en una situación de independencia en el momento de la Revolución de Octubre. Cuando se produjo la debacle de los alemanes, los polacos, liderados por el mariscal Joseph Pilsudski (1867-1935), un ex socialista convertido en nacionalista, decidieron aprovechar la situación conformando un extenso estado ocupando tierras que excedían incluso los territorios del antiguo reino de Polonia despedazado en el siglo XVIII. Avalados por los tratados realizados en Versalles, que establecieron los límites de la nueva nación, Pilsudski fue más allá e invadió Ucrania en abril de 1920. Sin embargo, el exitoso contraataque del Ejército Rojo condujo a su expulsión y a la posibilidad de continuar el avance penetrando en territorio polaco. En ese momento se le planteó a Lenin y a los bolcheviques una disyuntiva respecto de la continuidad o no del ataque. La persistencia en la mente de los revolucionarios de la posibilidad de exportar la misma les llevó —en una manifestación de optimismo— a ordenar la invasión de Polonia pensando en el apoyo de la clase obrera polaca. Algunos historiadores han sostenido incluso, aunque sin muchos fundamentos, que se trataba del primer paso hacia el avance en dirección a Occidente.

La reacción nacionalista de los polacos —que no veían en el Ejército Rojo al aliado de clase sino al tradicional opresor ruso— condujo a un desastre militar que obligó a los bolcheviques a retirarse de Polonia, a solicitar la paz y a firmar el Tratado de Riga, pero también a reconocer que la revolución de la clase obrera más allá de las fronteras del antiguo Imperio no era una posibilidad tan real.

En Finlandia la situación se presentó diferente, pero tuvo una solución parecida. Durante los meses que el poder estuvo en manos del Gobierno Provisional, le reconoció una amplia autonomía y la socialdemocracia finlandesa impulsó una ley por la que se reconocía la soberanía de la Dieta. Sin embargo, en ningún momento se reconoció la independencia del país.

En principio, el *Sovnarkom* reconoció la independencia del país, encarnada en un gobierno de corte nacionalista que había asumido el poder como consecuencia del hundimiento de la monarquía zarista. El recién formado Ejército finlandés al mando del general Karl Mannerheim comenzó el desarme de las tropas rusas. Ante el temor de perder los beneficios obtenidos en 1917, y con el apoyo de Lenin, que impulsaba la incorporación de Finlandia a la Rusia revolucionaria, los bolcheviques se alzaron para proteger la ciudad del avance de los «blancos». Pero el intento fracasó, pese a que los bolcheviques finlandeses llegaron a proclamar en marzo de 1918 una «República Socialista de los Trabajadores de Finlandia». Se produjo una sangrienta guerra civil en la que las clases media y alta y el campesinado libre apoyaron a los «blancos» nacionalistas, mientras que los obreros y los campesinos sin tierras defendieron la causa bolchevique. Con la ayuda alemana, los nacionalistas lograron imponerse, dando lugar al surgimiento de una nueva nación independiente, que pronto fue reconocida por el gobierno de los revolucionarios rusos.

En Estonia, y sobre todo en Letonia, el movimiento bolchevique era muy importante, pero en ambos casos fueron las tropas del Reich las que colocaron a los nacionalistas —minoritarios— en el poder, y tras la finalización de la guerra el apoyo de Gran Bretaña impidió que Lenin siquiera pensara en la reconquista de esos territorios. Por otra parte, está muy claro que el principio de autodeterminación impulsado por Lenin —y paradójicamente también por el presidente norteamericano Woodrow Wilson— había adquirido enorme influencia y legitimidad.

El caso de Ucrania, del que se ha hecho alguna referencia, es bien diferente. Se trataba de un amplio territorio repartido entre el Imperio Ruso y el Imperio Austro-húngaro, con una población mayoritariamente campesina, en la cual se había desarrollado el aprovechamiento individual de la tierra, con una clase propietaria de origen ruso o polaco, y una escasa burguesía comercial, sobre todo judía.

Cuando se produjo el estallido de la revolución en 1917 emergió, como vimos, un importante movimiento nacionalista que lideró la ya citada Rada, el Consejo Central Ucraniano, que ante la falta de respuesta del Gobierno Provisional de Petrogrado fue ampliando sus demandas de autonomía, hasta reclamar la independencia tras el triunfo de los bolcheviques. Las elecciones a la Asamblea Constituyente arrojaron allí una amplia mayoría para los partidos nacionalistas, circunstancia que sirvió para impulsar las políticas independentistas. Los campesinos, por su parte, si bien tendieron a apoyar a quienes hablaban su mismo idioma, planteaban sus demandas de reforma agraria como prioritarias y manifestaron un fuerte sentimiento de rechazo respecto de toda intromisión estatal. La guerra civil en Ucrania fue entonces una lucha con varios contendientes: los nacionalistas, los bolcheviques, el movimiento campesino, las tropas blancas lideradas por Denikin, los alemanes y los polacos. La complejidad de los acontecimientos que se desarrollaron en los dos años y medio siguientes puede resumirse diciendo que hubo por lo menos ocho diferentes tipos de gobierno, ninguno de los cuales pudo consolidarse ni obtener el apoyo de la mayoría de la población. Esta inestabilidad puede explicarse por la multiplicidad de fuerzas involucradas en los conflictos de la región, pero también por las divisiones de intereses existentes entre la misma población; es lógico que los alemanes y los blancos de Denikin carecieran de un apoyo importante entre la población nativa, pero no lo es tanto que los nacionalistas, liderados por Simon Petliura (1879-1926) tampoco lograran el sustento necesario para estabilizar su gobierno. La razón fundamental residió, como luego lo reconocieron algunos dirigentes, en la incapacidad mostrada por los nacionalistas —dirigentes fundamentalmente urbanos— para atraerse a la población campesina impulsando una política agraria que apuntara hacia el reparto de tierras. Se explica así el apoyo entusiasta de amplios sectores campesinos al programa del líder anarquista Nestor Makhno (1889-1935) quien, a la inversa, no pudo a su vez sentar las bases de un gobierno estable como consecuencia de su casi nula presencia fuera del ámbito campesino. No obstante, su movilidad y capacidad de reclutamiento le llevó a estar en condiciones de desafiar a los diferentes gobiernos hasta el fin de la guerra civil,

En ese escenario caótico, los bolcheviques se vieron enfrentados no sólo a una realidad política y militar en la que eran minoritarios sino también al hecho de que existían fuertes disidencias internas respecto de la estrategia a adoptar frente a un movimiento nacionalista de tal envergadura. Un sector importante de los bolcheviques ucranianos, encabezados por Piatakov, se manifestó totalmente en contra de la autodeterminación, oponiéndose de manera frontal a Lenin. Nadie expresó de manera más rotunda que Rosa Luxemburgo la posición de los marxistas contrarios a las concepciones nacionalistas: «en vez de prevenir al proletariado de los países limítrofes de que todas las formas de separatismo son simples trampas burguesas, no hicieron más que confundir con su consigna a la masas de esos países y entregarlas a la demagogia de las clases burguesas».

En el VIII Congreso del Partido, celebrado en marzo de 1919, se manifestó con claridad la posición que desnudaba toda la táctica empleada por Lenin: no es válida la concesión de la autodeterminación si ésta no redunda en beneficio de los trabajadores.

Cuando a finales de 1920 finalizó la guerra civil y fue doblegada la resistencia de los campesinos de Makhno, los bolcheviques pudieron pensar entonces con seriedad en la manera de organizar el futuro de Ucrania. Para ello Lenin contó con el apoyo de Nicolai Skripnik, uno de los fundadores del Partido Comunista Ucraniano, el cual le dio un fuerte impulso a las posturas del líder ruso, convencido como estaba éste de que las tesis centralistas sólo iban a aumentar la presencia política del nacionalismo ucraniano. Es entonces cuando se consolidaron las posiciones favorables al establecimiento de un acuerdo global entre Rusia y Ucrania que concediera una serie de competencias a las autoridades de esta última. El mismo se plasmó en el tratado firmado a finales de diciembre de 1920, estableciendo una unión económica y militar entre ambas naciones, al tiempo que se reconocía a Ucrania como una república soberana e independiente, incluso con la posiblidad de mantener relaciones internacionales independientes. Las competencias que conservaba esta última eran amplias, pero se manifestaban contradicciones flagrantes que mostraron rápidamente la necesidad de establecer un nuevo marco legal, el que finalmente se estableció con la creación a finales de 1922 de la Unión de las Repúblicas Socialistas Soviéticas.

La situación de Bielorrusia fue también particular. Se trataba de un territorio ocupado por una población campesina cuyo porcentaje de analfabetismo era alrededor del 75 por ciento, que hablaba alrededor de veinte dialectos locales, y cuya población urbana era rusa, judía y polaca. En ese ámbito, el sentimiento nacionalista estaba muy poco desarrollado.

El progreso de la revolución estuvo directamente vinculado con las líneas de combate del enfrentamiento ruso-alemán: los soldados rusos, influenciados por el bolchevismo, cumplieron un papel fundamental en el surgimiento de los primeros soviets y el establecimiento de un gobierno soviético en Minsk después de la Revolución de Octubre. Los campesinos permanecieron fuera de la lucha política que se desarrolló en las ciudades, y en las elecciones para la Asamblea Constituyente los bolcheviques obtuvieron el 60 por ciento de los votos (en parte gracias a

los soldados), mientras que el Partido Socialista Bielorruso (Hromada) no consiguió obtener un solo representante. En los meses siguientes, la lucha entre nacionalistas y bolcheviques se prolongó hasta que en marzo de 1918 el Tratado de Brest-Litovsk obligó al retiro de estos últimos, mientras que los alemanes apoyaron a los nacionalistas. Los campesinos, que se habían apoderado de toda la tierra que fueron capaces desde los meses finales de 1917, resistieron la ocupación alemana y se volcaron en apoyo de los comunistas. Cuando los alemanes se retiraron al final de la guerra, se formó la República Socialista Soviética de Bielorrusia, que se orientó en un sentido prorruso, hasta firmar en 1921 un tratado de similares características al negociado con los ucranianos.

Después de los acontecimientos de 1917, los pueblos instalados en Transcaucasia se encontraron en una situación desesperada, y la salida que encontraron para evitar el caos y/o la ocupación enemiga fue la creación de la República Federativa de Transcaucasia independiente. Sin embargo, ante la convergencia en la región de la Rusia soviética, la Entente y las fuerzas de Turquía y Alemania, georgianos, azeríes y armenios escogieron caminos diferentes, procediendo a la disolución de la República recién creada. El principal objetivo era la autodefensa, y en el contexto del retroceso de Rusia y el avance turco-alemán, la misma tomó rápidamente una dimensión étnica. Los bolcheviques tuvieron inicialmente poca incidencia en la región, salvo en la ciudad de Bakú (Azerbaiján), donde la larga tradición combativa de la clase obrera de origen ruso ocupada en la industria del petróleo condujo a que allí se proclamara la adhesión al régimen soviético.

Cuando la Rusia bolchevique finalizó su participación en la guerra, Georgia se vio favorecida por el apoyo de Alemania, y luego por los ingleses; los azeríes por la protección de los turcos y los armenios por la presencia de las tropas de Denikin, el general blanco, que sin embargo se mostró absolutamente insensible a sus demandas nacionalistas. De esta manera se establecieron tres repúblicas independientes, liberadas de la presión soviética por la acción extranjera.

Los alemanes, los turcos y los blancos fueron derrotados, y los ingleses se retiraron, con lo cual las tres repúblicas quedaron abiertas a la influencia de la Rusia Soviética. A lo largo de 1920, debilitadas por conflictos internos y por enfrentamientos en las fronteras, se reintegraron a Rusia a través de la técnica que Lenin ya había probado en Finlandia, aunque allí sin éxito: invasión militar acompañada con un golpe interno propiciado por los bolcheviques locales. Tanto en Azerbaiján como en Armenia los resultados fueron positivos, acabando con los intentos nacionalistas allí existentes.

El balance global que se puede realizar hacia 1921 muestra que, en aquellos casos en donde la situación internacional lo permitió, Lenin logró reconquistar una parte significativa de los territorios del Imperio sobre la base de diferentes estrategias que condujeron finalmente al establecimiento de la Unión de las Repúblicas Socialistas Soviéticas. Sin embargo, la excepción de Georgia da cuenta de su verdadero objetivo, que era el de asegurar el triunfo de la revolución por los medios que fueran necesarios.

En Georgia, a diferencia de lo ocurrido en Armenia y Azerbaiján, se había establecido un gobierno menchevique, prolongando la influencia que este partido tenía allí. Con su política agraria, los mencheviques lograron un importante apoyo campesino, manteniendo además una democracia pluripartidista. De cualquier manera, después de una tarea de agitación por parte de los bolcheviques en el interior del territorio, en febrero de 1921 el Ejército Rojo invadió Georgia y logró el éxito tras algo más de un mes de fuertes enfrentamientos. Lenin dudaba acerca de la oportunidad de la invasión e insistió en que la política de ocupación debía ser cauta; se estaba en las vísperas de la puesta en marcha de la Nueva Política Económica y sostenía que «era imperativo desarrollar una política especial de concesiones hacia los intelectuales y los pequeños comerciantes de Georgia». Incluso en algún momento pensó en un compromiso con los mencheviques, pero esto no fue posible porque Stalin se planteó como objetivo instalar en su tierra natal un régimen estrechamente controlado desde Moscú, por lo que maniobró para impulsar la invasión, lo que sin embargo le llevó a entrar en conflicto con Lenin.

Merece un comentario la situación de los más de quince millones de musulmanes que residían en el territorio del antiguo imperio ruso. La abrumadora mayoría hablaba variantes del turco, incluyendo los pueblos nómadas de Asia Central —kirguizos, kasacos y uzbecos—, así como los tártaros de la región del Volga y de Crimea, y los ya citados azeríes de Transcaucasia. También existían los irano-parlantes, fundamentalmente los tajis de Asia Central, que estaban instalados en las principales ciudades de la región, como Samarcanda y Bujara. Entre estos pueblos las distinciones estaban mal definidas: más que identificarse con una nación o un grupo étnico, sus lealtades se dirigían inicialmente al clan o a la tribu, a su líder dinástico, o en un sentido más general hacia el islam. La diferencia más clara se manifestaba entre los pueblos sedentarios del oeste y los nómadas del este.

A partir de la conquista de Kazan en 1552 por parte del zar Iván IV, se fue produciendo una progresiva hegemonía de los rusos sobre los pueblos musulmanes y, como bien se ha dicho, «en ninguna parte como en estas tierras se podía apreciar de manera más concreta la naturaleza del imperio zarista, donde un puñado de gobernantes rusos ejercían el poder sobre áreas pobladas de musulmanes».

La política zarista hacia los pueblos musulmanes fue inconsistente: en algunos períodos se atacaron las instituciones religiosas y se abrogaron los derechos de los musulmanes, cerrando mezquitas y confiscando sus tierras. En otros, como durante el reinado de Catalina II, se garantizaron sus derechos, liberándolos de ciertos tributos, exceptuándolos del reclutamiento militar, e incluso se les permitió construir alguna mezquita.

En el tránsito entre el siglo XIX y el XX en el mundo musulmán se desarrolló un movimiento reformista cuyo objetivo fundamental era incorporar los valores modernizadores de Occidente manteniendo sus tradiciones culturales. Cuando se desencadenaron los acontecimientos de 1917, la vida política en el mundo ruso-musulmán adquirió gran intensidad, perfilándose tres tendencias bien diferenciadas: 1) a la derecha se encontraban los grupos religiosos ortodoxos, acompañados de los sectores más ricos de la comunidad musulmana, provenientes en general del Turkestán. Sus ideas sociales y políticas eran conservadoras, compartiendo algunos rasgos con los octubristas rusos. En la medida en que la ortodoxia estaba fuertemente enraizada en la conciencia popular, la presencia de quienes las defendían era importante. 2) Un sector liberal, occidentalizado, vinculado ideológicamente con los Kadetes, aunque la actitud de éstos hacia el imperio otomano les llevó a un distanciamiento. 3) A la izquierda se encontraban los intelectuales, que no sólo se habían occidentalizado sino que también levantaban las banderas del socialismo.

A las pocas semanas de la Revolución de Febrero se constituyó el Movimiento de los Musulmanes Rusos, con el objetivo de unir a todos los ex súbditos del imperio zarista sobre la base de la identidad religiosa. El Movimiento desde el principio estuvo liderado por los grupos liberales y convocó a un Congreso general a realizarse en Moscú destinado a impulsar la secularización y democratización de los musulmanes. El intento, reforzado durante un segundo congreso celebrado en julio, parecía avanzar en el sentido de crear una rudimentaria administración religiosa y cultural musulmana; simultáneamente, se produjo el despertar del nacionalismo, que trascendió, como es habitual, desde los sectores intelectuales para alcanzar progresivamente a los estratos más bajos de la población.

Cuando se produjo el triunfo bolchevique, en poco tiempo se verificó la desintegración del Estado ruso y las diferentes regiones habitadas por musulmanes se separaron unas de otras. El proceso posterior estuvo caracterizado por el control progresivo del amplio territorio de Asia Central por parte de los rusos, que impusieron la hegemonía soviética sobre el conjunto de la población. Sin embargo, esta operación fue acompañada de un progresivo reconocimiento de las reivindicaciones de los grupos locales, abriendo paso al establecimiento de organismos nacionales autónomos. Se verificó entonces una situación paradójica: por una parte, el gobierno soviético destruyó toda institución que pudiera poner en peligro su monopolio del poder; por otra, impulsó una política de concesiones que lo acercó a las grupos nacionalistas y sentó las bases para la conformación de las futuras repúblicas musulmanas.

En resumen: transcurridos cuatro años de la Revolución, el balance de lo ocurrido en los territorios del Imperio Ruso deja como saldo una parcial reconstrucción del imperio de los zares: los avatares de la política internacional y el vacío de poder que se produjo en los primeros momentos después de la Revolución de Octubre determinaron que Finlandia, el territorio polaco y los estados bálticos se constituyeran como estados independientes[24]. Pero en otros ámbitos, y a través de diferentes estrategias, el gobierno bolchevique procedió a establecer firmemente su control. Por supuesto, el principio de autodeterminación de los pueblos quedó enterrado en la convulsionada realidad de esos años, aunque el resultado final, la firma del tratado de la Unión de las Repúblicas Socialistas Soviéticas en julio de 1923, fue paradójicamente presentado como la prueba de la justeza de la estrategia de Lenin.

La fundación de la Tercera Internacional

Si bien el Tratado de Brest-Litovsk constituyó un factor de importancia en el aislamiento respecto de Occidente, las acciones posteriores de Lenin y los suyos estuvieron orientadas por la idea de que la Revolución de Octubre era el primer paso hacia el triunfo de la revolución mundial. Esa convicción, sumada al rechazo que manifestaba respecto de la actuación de la II Internacional con motivo del estallido de la guerra de 1914, les llevó a buscar la manera de ampliar la influencia internacional de la experiencia bolchevique, incluso en una situación tan difícil para la supervivencia del régimen como la guerra civil. El objetivo propuesto además estaba afectado por el hecho de que se habían puesto en marcha en Europa conversaciones destinadas a reconstruir la unidad internacional de las organizaciones que representaban a la clase trabajadora.

---

[24] El estado de Polonia se formó a partir de territorios que hasta 1918 formaban parte de Rusia, de Alemania y del Imperio Austrohúngaro.

Por otra parte, el fin de la guerra tuvo como consecuencia el surgimiento de situaciones de conflicto social y revuelta política en algunos países, lo que parecía dar la razón a las posturas bolcheviques respecto de las posibilidades de expansión de la revolución.

Con ese panorama, en enero de 1919 se envió desde Moscú una invitación-manifiesto encabezada por un llamamiento titulado «*A los proletarios del mundo entero», para la realización de una* «*conferencia internacional comunista*, el cual estaba dirigido a los partidos, organizaciones y grupos socialistas y obreros que habían adoptado el «punto de vista de la dictadura del proletariado bajo la forma del poder de los soviets». Es preciso destacar que estas invitaciones estaban exclusivamente dirigidas a grupos europeos, norteamericanos y de Japón, dejando de lado al mundo colonial.

Lenin estaba completamente involucrado en el proyecto, y redactó un texto titulado *Tesis sobre la democracia burguesa y la dictadura del proletariado*, en el que explicitaba uno de los elementos fundamentales de su pensamiento: la idea de que no podía hablarse de «democracia en general» o de «dictadura en general», al margen o por encima de las clases. De esta manera, enfrentándose con las concepciones socialistas que condenaban la dictadura soviética, afirmaba que «en ningún país capitalista civilizado existe la "democracia en general", sino que sólo existe una democracia burguesa, y no se trata de la "dictadura en general", sino de la dictadura de la clase oprimida». A partir de esa idea proponía la elaboración de una reso-lución en la que se enfatice la existencia de los soviets como herramienta fundamental para el triunfo de la revolución.

Estas afirmaciones remitían a un texto escrito en 1918 durante su convalecencia tras el atentado del 30 de agosto; el mismo se llama *La revolución proletaria y el renegado Kautsky*, constituyendo la respuesta a un folleto del famoso dirigente socialista alemán publicado muy poco tiempo antes titulado «La dictadura del proletariado». Frente a la condena que una figura del prestigio de Kautsky hacía de las prácticas dictatoriales, negándolas como componente del pensamiento marxista, Lenin argumenta que «no puede mantenerse la democracia para los ricos y los explotadores en un período histórico en que se derriba a los explotadores y su Estado es sustituido por el estado de los explotados». Por tanto, en la línea ya expuesta en un libro de la misma época como *El Estado y la Revolución*, plantea que la dictadura de proletariado, cuya forma rusa la constituyen los soviets, constituye el régimen a través del cuál los obreros que han tomado el poder lo resguardan frente a los intentos contrarrevolucionarios de la burguesía.

La reunión se realizó en Moscú entre el 2 y el 6 de marzo de 1919 y en ella se hicieron presentes 33 delegados (28 europeos) con derecho a voto, y 15 sólo con voz. Los participantes eran en su mayoría residentes en Rusia, emigrados políticos que en manera alguna podían ser considerados representativos del socialismo de su país de origen. Además, varios representaban a países que habían formado parte del Imperio Ruso a los que se reconocía como repúblicas soviéticas, tal como Ucrania, Bielorrusia, Armenia y Georgia. La única excepción de importancia fue Hugo Eberlein, portavoz de los espartaquistas alemanes[25], que por lo demás venía con el encargo explícito de oponerse a la creación de una III Internacional en la que el peso de los bolcheviques rusos sería sin duda desmesurado. Pero no tuvieron éxito: Lenin impulsó la disolución del movimiento de Zimmerwald y su reemplazo por la organización que estaba surgiendo de esa reunión, que se convirtió en el I Congreso de la Internacional Comunista. En el más importante discurso que pronunció durante las deliberaciones, Lenin se manifestó vigorosamente en la posición expuesta en las *Tesis sobre la democracia burguesa y la dictadura del proletariado*, a favor de la expansión del modelo ruso como camino exitoso para el triunfo revolucionario, descartando todo compromiso con la burguesía y el parlamentarismo.

A pesar de su casi nula representatividad, las expectativas favorables existentes en Europa respecto de un estallido revolucionario hicieron que las repercusiones del Congreso fueran importantes, produciéndose en los meses siguientes el surgimiento de adhesiones y la constitución de partidos comunistas en varios países europeos y americanos. El movimiento obrero internacional se dividió entre comunistas comprometidos con la Revolución y reformistas, y esa división que se hizo más profunda con el paso del tiempo; la cuestión era, sin embargo, que los reformistas, descalificados como traidores a la causa de los trabajadores, tenían un apoyo mayoritario de éstos.

Cuando en julio del año siguiente se reunió nuevamente en Moscú el II Congreso de la nueva organización, no se escapaba al análisis de cualquier observador objetivo que la situación en Europa no había evolucionado en el sentido previsto por Lenin, sino que se estaba decantando hacia el fin de las esperanzas revolucionarias. Sobre todo el *putsch* de Kapp en Alemania —un intento militar que, si bien fue derrotado, mostró las debilidades de la recién constituida República de Weimar— había constituido para muchos la clausura de toda ilusión revolucionaria. Sin embargo, la ofensiva que estaba llevando a cabo en ese momento el Ejército Rojo en Polonia todavía mantenía las expectativas de algunos dirigentes, Lenin entre ellos. De ahí que una de las tareas que se habían propuesto los organizadores, el establecimiento de las pautas de afiliación a la nueva Internacional, se resolviera imponiendo una serie de duras condiciones —nada menos

---

[25] El espartaquismo constituía una agrupación surgida de la socialdemocracia alemana, que se manifestó duramente en contra de la guerra desde los primeros momentos. Su nombre proviene de *Espartaco*, la revista que editaban, y sus dirigentes principales eran la ya citada Rosa Luxemburgo, Karl Liebknecht y Leo Jogiches. En 1917 los espartaquistas manifestaron su adhesión al Partido Socialista Independiente, escisión pacifista del tronco socialdemócrata, y a finales de 1918 participaron de la creación del Partido Comunista Alemán. Sus tres principales dirigentes fueron asesinados en el curso de los tumultuosos acontecimientos de la inmediata posguerra en Alemania.

que veintiuna—, entre las cuales se incluían la unión entre la acción legal y la ilegal, el carácter comunista de la agitación y propaganda, «que deben atacar tanto a la burguesía como al comunismo», «el apoyo sin reservas a la República Soviética», «la depuración de los dirigentes reformistas» y «el reconocimiento del carácter obligatorio de las decisiones de la Internacional Comunista». La idea principal era la de disponer de una organización unida y homogénea. A las reuniones del Congreso de la Internacional Comunista acudieron en esta ocasión más de 200 delegados, provenientes en muchos casos de los recién creados partidos comunistas occidentales, o de escisiones del socialismo cuyos dirigentes estaban dispuestos a impulsar la revolución mundial afirmando, entre otras consignas, que «el proletariado internacional no enfundará la espada hasta que la Rusia soviética sea un eslabón en una federación mundial de repúblicas soviéticas».

El control obrero y el comunismo de guerra

Los años de la guerra civil constituyeron sin duda un desafío superlativo para quienes debieron encarar de manera simultánea la formación de un ejército, el abastecimiento a una población hambrienta y la construcción de un estado socialista.

Estas dificultades se perciben de manera clara a la hora de analizar las decisiones adoptadas en materia de política económica.

Los primeros meses de la Revolución estuvieron caracterizados por el «control obrero» de las fábricas y, como se ha visto, por la masiva ocupación de tierras por parte de los campesinos, que se las repartieron sin que intervinieran las autoridades. Asimismo, se procedió a la nacionalización de la banca, la cancelación de la deuda interna y el repudio de la deuda externa, y la subordinación de las cooperativas de consumo al control estatal.

La legislación promulgada por los bolcheviques respondía en cierto modo a unas líneas ideológicas bien definidas, en las cuales la oposición al mercado constituía una de los principios fundamentales, pero al mismo tiempo la gravedad de la situación determinó que muchas de las cuestiones cotidianas se enfrentaran con criterios pragmáticos que tomaban distancia respecto a formulaciones utópicas que el mismo Lenin había enunciado poco tiempo antes. Para poner sólo un ejemplo, en *El Estado y la Revolución*, obra publicada ese año, afirmaba que: «Nosotros, los trabajadores, organizaremos sobre la base de lo que el capitalismo ya ha creado. (...) Reduciremos el papel de los funcionarios públicos al de meros realizadores de instrucciones, "de capataces y contables" modestamente pagados, responsables y revocables.»

En la práctica, las decisiones del *Sovnarkom* se orientaron hacia el control centralizado de las palancas principales de la economía —creación del Consejo Supremo de la Economía Nacional, concesión de amplios poderes a los comités de fábrica, nacionalizaciones limitadas—, acompañadas de una realidad en la que el campo tendía justamente hacia la situación inversa, esto es: la disgregación de las grandes propiedades en manos de campesinos que se repartían las tierras en régimen de propiedad privada.

El Consejo Supremo de la Economía Nacional, en particular, fue el organismo destinado a concretar los objetivos de planificación y coordinación del conjunto de la economía. Creado a principios de diciembre de 1917, estaba dotado de poder para confiscar, requisar y secuestrar, para crear *trusts* en las diferentes ramas de la industria, y asimismo para emitir órdenes de cumplimiento obligatorio para cualquier organismo económico del Estado.

Los resultados económicos de esos primeros meses no se conocen al detalle en términos cuantitativos, pero no existen dudas respecto a que los mismos pueden resumirse en una frase impresionista pero elocuente: la producción se derrumbó. Se ha hecho referencia ya al hambre en las ciudades, a la escasez de abastecimientos de todo tipo. Se impuso un racionamiento estricto que, para citar sólo un ejemplo, en el mes de agosto de 1918 disponía que la categoría de ciudadanos con un trabajo más exigente y que, por tanto, debía se provista de mayor cantidad de alimentos, recibiera una ración de 200 gramos de pan para dos días...

A esta situación también habría que agregar la casi total desaparición de empresarios y personal técnico, engullidos por el vértigo de la Revolución, lo que contribuía a hacer más difícil la tarea en las fábricas. En resumen, hacia mediados de 1918, el mantenimiento de los bolcheviques en el poder, asediados por los peligros internos y externos, exigía sin duda la adopción de medidas drásticas en todos los aspectos, y así nació el «comunismo de guerra».

Se denomina así al período comprendido entre mediados de 1918 y marzo de 1921; el mismo consistió en una serie de medidas adoptadas por el *Sovnarkom* bajo el liderazgo de Lenin, que se orientaban hacia las requisas de la producción de grano para asegurar el abastecimiento de las ciudades, el control estatal de la producción y distribución de bienes, la desaparición (parcial) del comercio privado, la nacionalización de casi todos los establecimientos industriales y el reemplazo progresivo de los intercambios en dinero por el trueque.

El desarrollo de estas prácticas fue, nuevamente, el resultado de la convergencia de dos factores: un conjunto de presupuestos ideológicos —anticapitalismo, visión positiva de la planificación, valoración negativa de los mecanismos de mercado— y la emergencia generada por la guerra; podría afirmarse que ésta le dio un ímpetu adicional y una justificación a las más extremas manifestaciones de la ideología. Las conclusiones a las que llevaba esta mirada sobre la realidad pueden percibirse, por ejemplo, en el análisis del estallido hiperinflacionario que se verificó en esos momentos. Rusia lo experimentó de manera dramática, igual que otros países en los que no se produjeron revoluciones, como Hungría, Polonia, y más tarde Alemania, pero economistas bolcheviques lo interpretaron como un avance en el camino hacia el comunismo, momento en el que la moneda iba a desaparecer.

En relación con la implantación del comunismo de guerra, se ha insistido en la influencia que ejerció en esos años sobre Lenin una figura poco citada, Michael (Yuri) Larin, antiguo menchevique que residió durante varios años en Alemania como corresponsal de periódicos rusos. Convertido en un experto en planificación económica, a su retorno a Rusia después de los acontecimientos de febrero de 1917 se manifestó partidario de una paz separada con Alemania, decisión que le llevó a incorporarse al Partido Bolchevique. Una vez producido el triunfo de octubre, Larin ocupó un cargo en el Consejo Supremo de la Economía Nacional. Se dice de él que su influencia sobre Lenin en esos primeros instantes de la Revolución tuvo como consecuencia el giro drástico que se adoptó hacia la nacionalización masiva, uno de los elementos fundamentales del «comunismo de guerra». En el pensamiento de Larin, como en el de Lenin, estaba presente el modelo económico aplicado por el estado alemán durante la guerra, al que agregaban una dosis adicional de presión sobre el sector privado hasta dejarlo reducido al mínimo, el punto central residía en que estaban convencidos de que ése era el camino hacia el comunismo.

El programa del partido, elaborado en 1919 bajo la guía de Lenin, constituía en el terreno económico la expresión de lo que conformaba el «comunismo de guerra», e incluía afirmaciones tan rotundas en esa línea como «el inevitable reemplazo del comercio por la distribución planificada», o la necesidad de aplicar las medidas más radicales «para preparar la abolición del dinero».

La implantación del «comunismo de guerra» estuvo acompañada del uso de la fuerza en gran escala, aplicada en perjuicio del campesinado a los efectos de disponer de alimentos para los habitantes de las ciudades. Estableciendo una diferenciación social entre los campesinos, destinada a ganar apoyos y a combatir en teoría contra los campesinos ricos (kulaks[26]), de hecho la emprendió contra todos aquellos que se oponían a las requisas. Se asistió sin duda a una verdadera guerra en contra del campesinado: «destacamentos armados de la Guardia Roja y soldados a sueldo están recorriendo las aldeas y caseríos en busca de pan, practicando registros, tendiendo trampas con mayor o menor éxito. A veces regresan con pan; otras vuelven con los cadáveres de los camaradas que han caído luchando contra los campesinos».

Las consecuencias de esta lucha brutal, mezclada en algunas regiones con los enfrentamientos de índole na-

---

[26] Con esta palabra rusa, cuyo uso se ha generalizado, se designa al campesino propietario de una extensión de tierra importante, en condiciones de emplear trabajo asalariado de manera regular para llevar adelante el proceso productivo. Al establecer una distinción tajante entre el kulak y el campesino pobre, pasando por alto las situaciones intermedias, los bolcheviques pudieron construir una imagen de las luchas sociales en el campo como un enfrentamiento entre los primeros, contrarrevolucionarios vinculados incluso con los generales «blancos», y los segundos, defensores del poder bolchevique.

cional a los que nos hemos referido ya, fueron dramáticas para el conjunto de la economía. Los campesinos, cualesquiera fueran sus diferencias, se unieron para enfrentarse al «enemigo» externo; su reacción consistió en reducir la superficie cultivada, a partir de la premisa —no totalmente realista— de que cuanto menores fueran los excedentes menos era lo que el Estado les iba a sacar. Si a esta reducción, calculada hacia 1920 en el 12,5 por ciento de la superficie cultivada en 1913, sumamos el hecho de que la productividad disminuyó alrededor del 30 por ciento como resultado de la imposibilidad de utilizar caballos de tiro, al ser éstos requisados para el ejército, el resultado fue una cosecha de alrededor del 60 por ciento de los niveles anteriores a la guerra. El hambre azotó a la mayor parte de la población durante la vigencia del «comunismo de guerra», manifestándose en el campo pero sobre todo en las ciudades, que se despoblaron como consecuencia de la carencia de alimentos. Petrogrado en esos años disminuyó drásticamente el número de sus habitantes: de dos millones antes de la guerra pasó a alrededor de medio millón en 1920.

Los informes disponibles sobre la evolución de los precios muestran, como acaba de comentarse, la existencia de un fenómeno hiperinflacionario espectacular: entre octubre de 1917 y el mismo mes de 1921 los precios se multiplicaron aproximadamente por 12.000.

El impacto sobre la actividad industrial fue también brutal: las limitadas estadísticas disponibles marcan una caída de la producción hasta no más del 20 por ciento de los valores correspondientes al último año de paz, después de experimentar un crecimiento en los tres primeros años de la guerra (Ver cuadro).

CUADRO
Índice de Producción Industrial
Bruta 1913=100

Año	Índice
1913	100
1914	100
1915	103
1916	109
1917	76
1918	43
1919	23
1920	20

Fuente: Elaboración propia a partir de Davies, Harrison y Wheatcroft (1994).

Para citar sólo algunos datos, la producción de carbón bajó de 29 millones de toneladas en 1913 a menos de 9 millones siete años más tarde, y la producción de hierro y acero cayó aún mucho más.

Si bien para muchos veteranos militares —acostumbrados a la dura vida en la clandestinidad o en los destierros a los que eran sometidos por el zarismo— la etapa del comunismo de guerra constituyó un momento en el que los ideales revolucionarios estaban a «flor de piel» y las privaciones eran el precio a pagar por la instauración de un mundo libre de la explotación del hombre por el hombre, la mayor parte de la población, golpeada además en muchas zonas por el desastre de una guerra civil par-

133

ticularmente destructiva, vivió los años del comunismo de guerra como una pesadilla. Si lo dicho es válido para los campesinos, sometidos continuamente a las requisiciones de granos, lo es más aún para los habitantes de las ciudades, en donde el hambre hizo estragos. En consecuencia, una vez derrotados los enemigos, debía producirse alguna modificación en el escenario económico, ya que la disconformidad no se limitaba a quienes carecían de fervor revolucionario.

Los desafíos internos

Las reacciones de los trabajadores frente a las exigencias que surgieron desde el poder durante el comunismo de guerra mostraron de manera inequívoca la creciente distancia que se estableció entre quienes gobernaban en nombre de la clase obrera y la clase obrera «real». La necesidad de impulsar el desarrollo industrial como condición imprescindible para la supervivencia de la revolución condujo justamente al «productivismo», esto es, a la implantación por parte del *Sovnarkom* de todo tipo de medidas, incluso coercitivas, destinadas a incrementar la producción, las que en un escenario de guerra pudieron incluso justificarse con argumentos más rotundos. Tras la «primavera» que significó el control de la producción ejercido por los mismos trabajadores, la vuelta a la realidad implicó una apelación a la disciplina que en algunos casos llegó a plantearse en términos de «militarización» del trabajo. Muy lejos de las ilusiones que se elaboraban para «el día después» de la toma del poder, caracterizadas por un simple reemplazo de las clases explotadoras por los clases hasta ayer oprimidas, y de los utópicos proyectos que se elaboraron desde diferentes ámbitos intelectuales, se fue reconstruyendo la autoridad a la manera capitalista, en un proceso paralelo al ya citado de la incorporación de oficiales zaristas al ejército en calidad de técnicos. Los «sagrados» objetivos de la Revolución lo exigían.

La nueva situación determinó entonces que los soviets dejaran progresivamente de ser instituciones representativas para convertirse en órganos administrativos, en «cadenas de transmisión» e instrumentos destinados a asegurar el cumplimiento de las órdenes que emanaban del gobierno. Esta situación requería el control de los mismos por parte de las autoridades, por lo cual las elecciones democráticas fueron con frecuencia pospuestas para frenar las crecientes manifestaciones de descontento. Es preciso destacar, además, que cientos de miles de trabajadores, la principal base social del régimen bolchevique, fueron movilizados para el Ejército Rojo o marcharon al campo; la debilidad de sus apoyos llevó entonces a los dirigentes del *Sovnarkom* a considerar toda manifestación de oposición como expresión de quienes se planteaban como objetivo el acabar con la Revolución.

Esta visión de la realidad incluía también a las otras agrupaciones de izquierda. En el lenguaje de Lenin, todos los partidos socialistas no bolcheviques fueron descalificados a partir del uso de expresiones como «pequeño burgueses» o «antisoviéticos». Aunque los mencheviques habían abjurado de la lucha armada como instrumento para enfrentar al gobierno soviético, y muchos socialistas revolucionarios se manifestaron dispuestos a impulsar movimientos revolucionarios tomando distancia de la tutela bolchevique, Lenin los definió como contrarrevolucionarios, a partir de que, usando sus mismas palabras, «quien no está con nosotros está contra nosotros». La cultura política bolchevique, forjada a lo largo de varios años, hacía de todo adversario un enemigo. Si bien en algunos momentos en el curso de la guerra civil hubo un cierto aflojamiento respecto del control sobre los otros partidos, básicamente se trataba de una situación en la que los bolcheviques no estaban dispuestos a aceptar la cesión de alguna parcela de su poder a otro partido que hubiera ganado apoyo popular. Por esta razón, la actitud respecto de la oposición se fue haciendo más y más represiva. Tras la detención de miles de militantes mencheviques, en abril de 1921 Lenin declaró: «el lugar para los mencheviques y los socialistas revolucionarios es la cárcel (o en periódicos extranjeros, junto a los Guardias Blancos)».

Como balance puede afirmarse que sin duda las condiciones económicas y sociales de Rusia no favorecían la construcción de un estado democrático, pero los bolcheviques a lo largo de su gestión actuaron de manera sistemática desalentando todos los esfuerzos realizados desde abajo para impulsar formas de autogobierno, al tiempo que mostraron tolerancia cero respecto de cualquier visión disidente. No son sólo las penurias materiales y el impacto de la guerra los factores que explican la pérdida de poder por parte de los trabajadores, sino también las mismas políticas que aplicaron los bolcheviques. Los trabajadores carecían de poder y dependían del Estado, que además debía triunfar en la guerra a cualquier costo; pero en esas circunstancias dos ideales entraban en conflicto. Por una parte, muchos trabajadores combatían por el ideal democrático del autogobierno tanto en economía como en política, como también lo hacían, a su manera, millones de campesinos. Pero, por otra parte, Lenin y varios de los dirigentes desconfiaban del pluralismo político y en su lugar defendían el ideal «productivista» de una economía altamente eficiente que estuviera en condiciones de eliminar las escaseces e impulsar el desarrollo, objetivos que ellos pensaban que podía lograrse sólo mediante la disciplina, el control unipersonal y la eventual militarización. El período de guerra no era sin duda el momento ideal para experimentar en nuevas formas de organización y administración, por lo que los ideales democráticos fueron derrotados, no sin lucha, por métodos más autoritarios. Los comunistas se convirtieron en los conductores de una economía de escasez y de un estado autoritario que se proclamó heredero de la revolución, aun cuando dejó por el camino las aspiraciones igualitarias de quienes habían luchado en las calles en 1917.

Con la eliminación de los otros partidos, toda la política se concentró en el interior del Partido Comunista.

Durante los primeros cinco años de ejercicio del poder, los Congresos fueron un ámbito de discusión en el que se expresaba la actuación de diferentes facciones. Como se ha venido analizando, en temas tan cruciales como el desencadenamiento de la insurrección armada en octubre —a la que se opusieron dirigentes importantes como Zinoviev o Kamenev—, o las negociaciones de paz con los alemanes —que fueron cuestionadas por una Izquierda Comunista que luego desapareció de la escena—, se manifestaron profundas diferencias, lo que desmiente la idea, difundida por los historiadores soviéticos y también por los historiadores conservadores occidentales, de que los bolcheviques constituían un partido monolítico, disciplinado y altamente centralizado. Sin embargo, es cierto que el mismo estuvo obstaculizado por prácticas manipulatorias a partir de las cuales Lenin se movía con absoluta comodidad.

A medida que la guerra civil se fue desarrollando, se perfilaron dos corrientes de oposición: los «Centralistas Democráticos» y la «Oposición Obrera». Los primeros, liderados por V. V. Osinsky (1887-1938) —presidente del Consejo Supremo de la Economía Nacional en los primeros meses de la Revolución—, eran defensores del principio colegiado, al que consideraban un factor fundamental para prevenir la burocratización. Asimismo, estaban en contra de la utilización de «expertos» en tareas de gestión desplazando a los trabajadores, y también denunciaban la pérdida de poder y representatividad de los soviets. En su exposición en el IX Congreso del Partido Comunista, Osinsky sostenía que el «Centralismo Democrático» consistía «en la ejecución de las decisiones del centro por medio de organismos locales, que eran los responsables de la realización de las tareas en las provincias»; se trataba, entonces, de mantener las prácticas democráticas dentro del partido. Sin embargo, sus sugerencias para introducir mayor nivel de discusión generaron la sospecha de que estaban reclamando alguna forma de «parlamentarismo». En su polémico texto *La Enfermedad Infantil del "Izquierdismo" en el Comunismo*, publicado en mayo de1918, Lenin sostenía que «la experiencia triunfante de la dictadura del proletariado en Rusia ha probado que el centralismo y la estricta disciplina del proletariado constituyen las principales condiciones para la victoria sobre la burguesía, (...) quien debilita la disciplina de hierro del partido del proletariado (especialmente durante su dictadura), ayuda en realidad a la burguesía en contra del proletariado». Todo este escrito es un alegato a favor de la obediencia al partido y en contra de quienes abogaban por una mayor presencia de los trabajadores en el poder, vigorizando la vía revolucionaria «desde abajo».

Justamente, la Oposición Obrera, una agrupación constituida en 1920, liderada por Alexander Shliapnikov y Alexandra Kollontai, defendía la presencia de los sindicatos en el manejo del conjunto de la estructura económica por medio de un congreso de trabajadores que ejerciera el control sobre la vida económica. Para quienes militaban en esta corriente, los trabajadores no debían ser subordinados a las instituciones estatales sino que su tarea sería la de organizar la industria y los procesos de trabajo. Sus posturas se vinculaban en algunos aspectos con las tendencias anarco-sindicalistas, y su apelación a la conciencia «proletaria» del partido constituía un desafío moral para quienes ejercían el poder de manera autoritaria. En sus planteamientos insistían incluso en la expulsión del partido y de las tareas administrativas de todos los elementos no proletarios, a la vez que reivindicaban el principio electivo en todas las instancias.

La Oposición Obrera se enfrentó con la postura oficial de Lenin en el crucial X Congreso del Partido Comunista realizado en marzo de 1921, el cual a su vez proponía, incluso frente a la postura de Trotski, partidario de la «militarización» de los sindicatos, la transformación de éstos en «escuelas de comunismo» en las que los militantes formaran y movilizaran a las masas de trabajadores. En sus mismas palabras, «nuestro estado en la actualidad es tal que las organizaciones del proletariado se deben defender a sí mismas; debemos usar estas organizaciones para la defensa de los trabajadores respecto de su estado y de la defensa de su estado por parte de los trabajadores». Su triunfo, obtenido también en contra de las posiciones de Trotski, fue sin embargo acompañado del impulso que dio a una resolución de enorme trascendencia, por la que se disponía «la disolución, sin excepción, de todos los grupos que habían formado parte de una postura u otra, prohibiendo en adelante la existencia de las facciones». Si bien los principios de libre discusión fueron reafirmados,

el Congreso votó afirmativamente esta prohibición de las facciones, que incluía la posibilidad de expulsar del partido a quienes se acusara de «faccionalismo». Dirigida de manera concreta contra la Oposición Obrera, la decisión de Lenin surgió del temor que generaba la posibilidad de que grupos organizados dentro del partido dieran fuerza a la oposición.

La explicación de este reforzamiento de las posiciones autoritarias reside, en lo profundo, en prácticas que existían dentro del partido desde su origen, pero en lo inmediato se vinculaba con los hábitos provenientes de la guerra civil y con los supuestos (o reales) temores respecto de la contrarrevolución y del hacer de la «pequeña burguesía» (el campesinado); la combinación de estos factores condujo a un distanciamiento respecto de tendencias más democráticas y descentralizadas que existían dentro del partido y en el campo.

Gorky, en una carta dirigida a su mujer, sintetizaba la opinión de quienes, compartiendo los ideales de la Revolución, sin embargo rechazaban los excesos autoritarios: «resulta obvio que Rusia se dirige hacia una dictadura nueva e incluso más salvaje».

Las rebeliones antibolcheviques

Hacia finales de 1930, cuando los ejércitos blancos dejaron de ser un peligro, reaparecieron los impulsos revolucionarios, fundamentalmente en el campo. Una gran cantidad de revueltas y rebeliones, grandes y pequeñas, surgieron a lo largo y ancho de todo el territorio ruso. De acuerdo con las fuentes de la Cheka, hubo 118 alzamientos sólo en febrero de 1921.

En la actualidad, hay un consenso generalizado respecto de que las protestas se hicieron sentir con fuerza a partir de la finalización de la guerra civil: amplios sectores de la población comenzaron a percibir que las medidas excepcionales adoptadas por los bolcheviques ya no se justificaban y se tornaba necesario recuperar el impulso revolucionario. Para muchos, había llegado la hora de mostrar si estaban verdaderamente dispuestos a impulsar una revolución popular.

Las áreas situadas fuera del control bolchevique —la periferia del antiguo imperio zarista— constituyen interesantes ejemplos comparativos respecto de cómo se desarrollaron los acontecimientos sin la influencia de los triunfadores de octubre. Revisaremos las características del movimiento anarquista de Nestor Makhno (1889-1935) en Ucrania y la rebelión campesina de Tambov, liderada por Alexander Antonov (1922).

En el clima creado por la presencia de los generales «blancos», la principal argumentación de los bolcheviques para reclamar legitimidad era que se trataba de los únicos que estaban en condiciones de evitar la victoria de la contrarrevolución. El «Ejército Insurgente» al mando de Makhno parece demostrar, sin embargo, que había más de un método de lucha para afrontar el peligro de los enemigos de la Revolución.

Su base de masas era el campesino iletrado proveniente del este de Ucrania, pertrechado con el abundante stock de armas que había dejado como saldo la guerra de 1914. El alzamiento fue acompañado de la ocupación de tierras y la asunción de las funciones de administración de la tierra y de gobierno local. Era un movimiento campesino que le entregó el poder a los campesinos. En el momento de mayor repercusión llegó a constituir una fuerza armada de más de 30.000 hombres, aunque en general era de alrededor de la mitad. Estaba conformada por voluntarios y se respetaba el principio electivo (y revocable) en la designación de los oficiales.

Las razones del éxito del movimiento de Makhno estriban en que en la zona donde se desarrolló no existían fuerzas políticas en condiciones de pelear contra las tropas blancas. La principal virtud del Ejército fue su estrecha relación con la población local, que les permitía realizar operaciones sorpresivas y luego desaparecer en el anonimato.

Sus límites residieron en que su propuesta económico-política —cooperativas, soviets— no se mostró apropiada para atraerse el apoyo de los trabajadores urbanos y para funcionar en un medio más complejo que el rural.

Una de las claves que explican la supervivencia del movimiento *makhnovista* residió justamente en el enfrentamiento entre el Ejército Rojo y los «blancos». Mientras existiera el desafío contrarrevolucionario en la región los bolcheviques no tuvieron más remedio que tolerarlo, ya que necesitaban su apoyo. Una vez vencidos los blancos, los bolcheviques se plantearon como objetivo la liquidación de los rebeldes y no cejaron hasta alcanzar su objetivo.

Entre principios de 1919 y finales de 1920 los bolcheviques organizaron tres campañas contra Makhno y sus hombres, dos de las cuales terminaron en trabajosos acuerdos para pelear contra Denikin primero y luego contra Wrangel; la tercera acabó completamente con los rebeldes.

La primera campaña de los bolcheviques en la región se inició en noviembre de 1918, después del colapso de las Potencias Centrales. Durante la misma, el Ejército Insurgente de Makhno peleó junto a ellos contra las fuerzas «blancas», pero para el gobierno de Moscú —esta ciudad se convirtió en capital a principios de 1919— se trataba de un acuerdo puramente, lo que condujo a un incremento progresivo de la tensión entre ambos bandos. Trotski acusó a los anarquistas de defender los intereses de los *kulaks*, y el enfrentamiento culminó con el arresto y ejecución de varios dirigentes del Ejército Insurgente y el avance de los «blancos», que llevó a los bolcheviques a evacuar temporalmente Ucrania.

Makhno sospechó que la huida de los rojos era deliberada, para facilitar el ataque de Denikin contra sus hombres. Los «blancos», iniciaron entonces una represión salvaje contra los judíos y los campesinos ucranianos, pero cuando parecía que su movimiento iba a ser arrasado, derrotaron de manera concluyente a la avanzada de las fuerzas de Denikin en Peregonovka, tras lo cual llevó a cabo una sangrienta matanza. Este éxito, que le devolvió el control de la región, sin duda contribuyó a debilitar el avance de los «blancos» sobre Moscú, que fue frenado definitivamente.

El nuevo peligro «blanco» surgió en la región de Crimea, con las fuerzas encabezadas por Wrangel, y nuevamente se forjó una alianza circunstancial entre Makhno y el Ejército Rojo. El asalto final sobre las posiciones «blancas», llevado a cabo en noviembre de 1920, y en el cual el Ejército Insurgente tuvo un importante papel, fue el prólogo a la persecución final de los bolcheviques. El 26 de ese mes, con el conocido pretexto de que estaba preparando un alzamiento de los *kulaks* contra el gobierno de los soviets, Makhno fue declarado fuera de la ley; sin embargo, durante varios meses escapó a la persecución hasta que finalmente atravesó el río Dniester entrando en Rumania con un puñado de sus hombres. Nunca más retornó a Rusia y el movimiento liderado por él en unos meses desapareció del escenario sin dejar rastros visibles.

El alzamiento campesino que se produjo en la provincia de Tambov, en el corazón de la región agrícola de la Rusia europea, sirve de ayuda para clarificar cuánto quedaba del espíritu de 1917.

La rebelión comenzó en agosto de 1920 y se prolongó hasta junio del año siguiente, aunque algunos grupos aislados continuaron una resistencia esporádica. Su líder principal, Alexander Antonov, fue finalmente fusilado el 24 de junio de 1922. En el momento más favorable de la rebelión amplias zonas agrarias de la provincia estuvieron bajo control de los rebeldes y el movimiento sólo fue vencido tras el envío por parte del gobierno de una gran cantidad de tropas.

El origen inmediato de la revuelta fue sin duda la reacción de los habitantes de dos pueblos, Kritova y Kamenka, ante las demandas planteadas por los brigadistas que requisaban granos. La represión que se desató contra los mismos puso en marcha la reacción antibolchevique, compuesta por alrededor de 500 hombres, a cuyo frente se encontraba Antonov.

La rebelión tuvo tres componentes: 1) la corporación armada liderada por Antonov; 2) la organización política centrada en la Unión de Campesinos; 3) el activismo campesino espontáneo.

Antonov es considerado convencionalmente un socialista revolucionario, denominación amplia que cubre el espectro de militantes radicales en una provincia en la que antes de la guerra no existían agrupaciones bolcheviques ni mencheviques. Antonov era un «revolucionario profesional» que consideraba a la violencia como un componente de su estrategia política. Después de haber sido arrestado en varias ocasiones durante la época zarista, a partir de la Revolución de Febrero estuvo a cargo de una milicia de distrito en la provincia de Tambov.

La represión de la *Cheka* contra los socialistas revolucionarios de izquierda y el «terror» desencadenado por el gobierno en la segunda mitad de 1918 le llevaron a pasar a la clandestinidad acompañado de aproximadamente 150 hombres. Durante la guerra civil su tarea fue en contra del gobierno bolchevique —a pesar de que estuvo involucrado en actos terroristas en pequeña escala—, pero una vez derrotadas las fuerzas del general «blanco» Denikin en la región, su actividad se desplegó en un frente mucho más amplio; de acuerdo con las fuentes más fiables, llegó a contar con alrededor de 20.000 hombres a su servicio.

El programa de la Unión de Campesinos fue dado a conocer en mayo de 1920 y en sus puntos principales especificaba: 1) ruptura con el régimen soviético y convocatoria a una nueva Asamblea Constituyente; 2) control de las grandes empresas por parte del Estado, así como el mantenimiento de la tierra en manos de los campesinos, tal como lo habían dispuesto los bolcheviques en octubre de 1917; 3) impulso al crecimiento de las pequeñas empresas y el aumento de la eficiencia de las explotaciones agrarias, a través de la concesión de créditos por parte del Estado, y 4) defensa de las libertades civiles básicas y acción activa del Estado en la educación, acabando con el analfabetismo y asegurando la formación básica de todos los ciudadanos.

El programa, que sin duda no incluía ningún punto realmente incompatible con los principios de la Revolución de Octubre, reflejaba sin duda las aspiraciones de una provincia fundamentalmente campesina en la que la presencia socialista revolucionaria era mayoritaria y la indiferencia —si no la hostilidad— contra el régimen soviético era manifiesta. La rebelión fue entonces una rebelión campesina en la que el detonante lo constituyó la continuidad de las requisas de grano cuando ya la guerra civil había finalizado, circunstancia que agravaba una situación ya de por sí conflictiva.

Las razones de ·su derrota son varias: en primer término, se trataba de un movimiento campesino localizado, que sólo llegó a controlar una parte de la provincia, sin llegar a hacer pie en alguna ciudad. En segundo término, las fuerzas de represión superaban ampliamente en número de hombres y armamento a los rebeldes. Pero además, un factor de la mayor importancia lo constituyó el hecho de la decisión de terminar con las requisas forzosas de grano e implantar la posibilidad de que los campesinos vendieran libremente su cosecha tras el pago de un impuesto en especie, quitó a los rebeldes uno de sus argumentos principales, lo que sin duda debe haber aflojado los vínculos entre los grupos armados y los campesinos que los apoyaban.

Kronstadt

Hasta finales de 1920, a pesar de la gravedad de la situación y del incremento de las protestas, Lenin todavía defendía la política económica del comunismo de guerra. En el VIII Congreso de los Soviets realizado en noviembre de 1920, en respuesta a los reclamos de la oposición que todavía tenía representación allí, con el apoyo de los «Centralistas Democráticos» que reclamaban más coerción, respondió a los delegados campesinos que pedían el fin de las requisas de grano sosteniendo que éstas debían proseguir, ya que el peligro exterior y la amenaza de los ejércitos «blancos» no había finalizado. La mayoría que detentaban los bolcheviques aseguró que la propuesta de Lenin fuera aprobada.

Como consecuencia de esta realidad cada vez más dura, en la que los objetivos del gobierno no sintonizaban con las expectativas de los trabajadores, éstos se apartaron aún más del Partido Comunista, y en febrero de 1921, cuarto aniversario de la Revolución que derrocó al zarismo, protagonizaron una significativa serie de huelgas en demanda de alimentos, ropa y el retorno a la democracia soviética de 1917. Una resolución de los trabajadores proclamaba que «después del 25 de octubre de 1917 veíamos trabajadores en todas las instituciones, pero ahora no vemos un solo trabajador en los órganos de gobierno soviéticos; sólo "manos sin callos" se sientan allí, destruyendo la fe en el poder soviético». Muchos obreros se volcaron en apoyo de los mencheviques, que participaron de estas actividades, y la gravedad de la situación llevó al gobierno de la ciudad a convocar a la *Cheka* para que arrestara una vez más a mencheviques y socialistas revolucionarios y reprimiera a los trabajadores en huelga, aunque al mismo tiempo aceptaron sus demandas y empezaron a repartir alimentos y ropa. Las huelgas finalizaron a principios de marzo, pero su repercusión atravesó el golfo de Finlandia, llegando hasta la base naval de Kronstadt.

Se concretó allí el mayor desafío que debió afrontar el régimen bolchevique, y el que terminó de decidir un cambio en la política económica. El motín de marineros de la base naval de Kronstadt estalló en los últimos días de febrero de 1921. Se trataba de protagonistas importantes de la Revolución de Octubre que demandaban mayores cambios, generando apoyo y simpatía entre grupos anarquistas y socialistas democráticos en todo el mundo. En

Típica estampa de la Revolución Rusa, que presenta a Lenin al frente de los revolucionarios.

1917 Trotski había calificado a los marineros de Kronstadt como «el orgullo y la gloria de la Revolución Rusa», aunque se trataba de un ámbito en el que la representación de la extrema izquierda era numerosa. Una vez producido el triunfo de octubre, en Kronstadt gobernó hasta mediados de 1918 un Soviet compuesto de una amplia coalición de partidos de extrema izquierda, cuyo Comité Ejecutivo era estrictamente responsable ante los soviets de la base naval. De allí en adelante los bolcheviques se encargaron de apartar a los representantes de los otros partidos y transformaron al Soviet en un órgano burocrático dependiente del gobierno central.

Si bien los marineros pelearon contra los «blancos» en la guerra civil, había un descontento creciente, que tuvo ocasión de manifestarse cuando llegaron a la base las noticias de los disturbios de Petrogrado. La amplitud de la propuesta condujo a que incluso un amplio porcentaje de bolcheviques

se unieron al motín, enfrentándose a la dirigencia de Moscú. En un mitin en el que participó la tercera parte de la población de Kronstadt, se aprobó una resolución en la que se exigía el establecimiento de un Soviet con participación de todas las agrupaciones de izquierda.

Para el régimen, el alzamiento de Kronstadt era un enorme desafío: Lenin pensaba que la rebelión podía constituir el primer paso hacia un triunfo «blanco» y convenció a sus camaradas de que había que usar la fuerza para acabar con ella. Pero más allá de eso, las demandas de los marineros aparecían como la conciencia de los revolucionarios. El programa de la Comuna de Kronstadt constituía el retorno a los ideales de octubre de 1917: su consigna «todo el poder a los soviets, no a los partidos» sintonizaba con los planteamientos que en esos momentos defendía la Oposición Obrera, lo mismo que cuando demandaban que la gestión de los asuntos económicos dejara de estar en manos del Estado para pasar a manos de los trabajadores organizados en cooperativas libres. Su reivindicación de libertad —«levantamos la bandera de la libertad en contra de tiranos, opresores y especuladores»— también se vinculaba con las demandas de los movimientos campesinos, y reclamaba nuevas elecciones en los soviets y en el gobierno.

Socialistas revolucionarios y anarquistas se volcaron en apoyo de los rebeldes, pero éstos no intentaron marchar hacia Petrogrado, situado a menos de 40 kilómetros atravesando el helado golfo de Finlandia, a pesar de que allí, como hemos visto, había también un fuerte rechazo obrero a la gestión del gobierno. Éste impuso la ley marcial en Petrogrado y acumuló gran cantidad de hombres a lo largo de la costa frente a Kronstadt.

El ataque inicial de las fuerzas gubernamentales fue rechazado en el medio de una tormenta de nieve; murieron alrededor de dos mil soldados, dejando una enorme extensión de hielo cubierta de cadáveres. Los marineros entonces llamaron a una «tercera revolución» dirigida contra «la dictadura del Partido Comunista con su *Cheka* y su capitalismo de Estado, cuya soga de verdugo se cierra sobre el cuello de las masas trabajadoras». Durante poco más de dos semanas, el Comité Revolucionario desmanteló el aparato bolchevique y puso en marcha, bajo el fuego de la artillería, su propia revolución. La declaración hecha pública el 8 de marzo destacaba que «al llevar a cabo la Revolución de Octubre la clase trabajadora tenía la esperanza de conseguir su emancipación, pero el resultado ha sido un esclavizamiento incluso mayor de los seres humanos».

Ante la gravedad de la situación, el mismo Trotski irrumpió en el medio de las deliberaciones del X Congreso logrando un apoyo unánime para el uso de toda la violencia necesaria, y también que 300 delegados le acompañaran a Petrogrado para ayudarle en la batalla por la rendición de Kronstadt. Temerosos de que si el hielo se derretía el puerto se volviera inexpugnable, se ordenó un ataque de 50.000 hombres, que tomó la fortaleza el 17 de marzo después de dieciocho horas de lucha, y terminó de manera sangrienta con la rebelión. La represión fue terrible; más de 2.500 prisioneros fueron fusilados —la mayoría sin juicio— o trasladados a los campos de concentración que ya existían en el norte del país desde el comienzo de la guerra civil; también murieron alrededor de 10.000 soldados rojos.

La experiencia de Kronstadt fue determinante para el rumbo que tomó el proyecto del gobierno: el hecho de que un bastión bolchevique en 1917 desafiara el poder comunista en 1921 mostraba, junto a la terrible situación de los campesinos, la imprescindible necesidad de producir cambios. La certeza de que la mayor parte de la sociedad se oponía a la acción de quienes detentaban el poder constituía un factor que condicionaba toda la realidad. Sin embargo, en esta dramática ocasión nuevamente la figura y la influencia de Lenin fueron fundamentales en las decisiones que se adoptaron.

En un análisis frío, podría afirmarse que existían dos opciones políticas: la primera era el reconocimiento de que no se podía gobernar en contra de la mayoría y por tanto aflojar los mecanismos que habían llevado al ejercicio de un monopolio del poder. A priori esta opción era teóricamente posible, pero un mediano conocimiento de la situación y de la personalidad de Lenin conduce inevitablemente a descartarla. La otra consistía en preservar ese dominio monopolista del partido intentando aliviar la situación general a través de medidas fundamentalmente económicas que tomaran distancia respecto de los objetivos originales establecidos por el comunismo de guerra. El vuelco hacia esta opción, que dio lugar, como veremos, a la llamada Nueva Política Económica, requería un partido unido, disciplinado. De ahí que en el X Congreso se decidiera la aplicación simultánea de políticas económicas liberalizadoras y la prohibición de la existencia de facciones, poniendo límites a las prácticas democráticas dentro del partido.

Era un momento difícil, pero en esos momentos se mostraba la fuerza del liderazgo de Lenin; otro tema es discutir la consecuencia de sus decisiones.

La Nueva Política Económica

No cabe duda que el mes de marzo de 1921 fue un momento decisivo en la historia de la Unión Soviética: en el mismo momento en que se producía el alzamiento de los marineros de Kronstadt, y se llevaba a cabo el X Congreso del Partido Comunista, la situación exterior del país tendió a estabilizarse; Polonia y Rusia firmaron el Tratado de Riga, y Gran Bretaña acordó establecer relaciones comerciales con el régimen. Al tomar conciencia de que las expectativas respecto de una revolución europea debían moderarse, Lenin impulsó, como vimos, una serie de cambios cuyos objetivos apuntaban a reforzar la disciplina dentro del partido, a acallar a la oposición y a enfrentar los problemas económicos con el campesinado a través del desarrollo de una nueva estrategia.

La Nueva Política Económica (NEP) constituía una rectificación parcial respecto de los excesos del comunismo de guerra; Lenin partía de la idea de que en la Rusia Soviética existían conflictos de clase entre trabajadores y campesinos. En sus palabras, «el campesinado ha adquirido el estatus del campesino medio (...) y la única posibilidad de resolver el problema del pequeño propietario es a través de la ayuda destinada a mejorar su situación material, el equipamiento técnico, el amplio uso de tractores y otras maquinarias y la electrificación en escala masiva».

Se trató entonces, por medio de la NEP, de favorecer al campesinado, otorgándole incentivos para cultivar la tierra, expandir la producción y comercializar las cosechas. El pequeño campesino, arruinado y empobrecido, debía ser ayudado, en razón de que el régimen soviético estaba «fundado en la colaboración de dos clases, los trabajadores y los campesinos». Esta vinculación entre el campo y la ciudad se simbolizaba en la hoz y el martillo de la bandera soviética. El gobierno estableció que los campesinos deberían pagar un porcentaje de la cosecha bajo la forma de un «impuesto en especie». Simultáneamente, las requisas iban a terminar y todo excedente de la cosecha por encima del impuesto podía ser vendido libremente. Los campesinos en forma individual eran responsables por el pago del impuesto, y la tierra, si bien era oficialmente de propiedad pública, les pertenecía para trabajar; la tenencia de la misma estaba garantizada.

Lenin definió la NEP como un «retroceso hacia el capitalismo de Estado», pero también enfatizó que Rusia estaba edificando el socialismo, ahora a través de una aproximación «reformista», en lugar de un camino revolucionario. Como llegó a afirmar, «nosotros los comunistas somos como una gota en el océano, una gota en el océano de la sociedad; debemos estar en condiciones de liderar al pueblo a lo largo del camino que hemos elegido». Esta frase sintetizaba el papel que atribuía a la minoría rectora en la tarea de impulsar la revolución.

El modelo adoptado por los bolcheviques seguía tomando como base la economía de guerra implantada en Alemania; veía en esta economía planificada y centralizada el modelo de transición al socialismo. La diferencia consistía en una importante «marcha atrás» en los excesos estatizadores respecto de lo que se había realizado desde 1917. No obstante, a pesar de que los mecanismos de mercado fueron restablecidos en su funcionamiento, el gobierno retenía muchos de los instrumentos y las instituciones planificadoras que provenían del comunismo de guerra. El comercio exterior, el sistema financiero, las grandes empresas industriales, los recursos del subsuelo continuaban bajo gestión estatal. El mercado y el plan se combinaban con la importación de maquinaria y tecnología importada, que constituirían las bases de la futura economía socialista. Fascinado por el poder de la tecnología, en una de sus frases más citadas, Lenin afirmó que «el comunismo es el poder de los soviets más la electrificación».

Ya un año antes Trotski había planteado la posibilidad de emplear una estrategia semejante, pero evidentemente la dirección del partido no estaba aún en condiciones de encarar un cambio tan drástico.

En la visión inicial del líder de la Revolución, la NEP era más que una concesión temporal al capitalismo a los efectos de recuperar la economía del país; se trataba de un intento de redefinir las características del socialismo en un país atrasado, en el que la «revolución burguesa» no se había concretado en su totalidad. No obstante, de sus palabras y escritos no emergía que tuviera claro cómo seguía el proceso, si manteniendo esta economía «mixta» en la que coexistían un fuerte sector estatal junto a mecanismos de mercado, o si la nueva estrategia era efectivamente un momento de retroceso antes de continuar el avance hacia la completa socialización.

Por lo menos en un principio, Lenin utilizó la teoría del capitalismo de Estado para cubrir varios «baches»: en primer término, disipar toda ilusión respecto del carácter pretendidamente socialista de la sociedad soviética. Pero, además, se trataba de caracterizar la naturaleza del período de transición al socialismo; en algún momento se planteó que el capitalismo de Estado constituía la forma política y social más perfecta del capitalismo, y por eso pasaba a ser la etapa que precedía directamente al socialismo.

Producida la instauración de la Nueva Política Económica y reprimido con fiereza extrema el alzamiento de Kronstadt, puede afirmarse que el impulso revolucionario se detuvo allí. Las características del sistema económico permitieron iniciar la recuperación y generar una situación de estabilidad. La perceptible mejora en las condiciones de vida contribuyó, junto con la represión de un Estado policíaco, a acallar las voces disidentes. Sin duda, la Revolución había llegado a una «meseta», a un período de reposo, que hasta podría ser definido como de institucionalización. Sin embargo, las características de la solución adoptada conllevaban nuevos problemas para el futuro, en la medida en que, por lo menos sus impulsores, la consideraban un alto en el camino, una etapa de meditación destinada a explorar alternativas superadoras. De momento, no obstante, la Revolución, con toda su dinámica transformadora, había culminado.

Revolución, sociedad y cultura

El Partido Comunista en el poder se organizó para la defensa de la Revolución en el campo de batalla frente a sus enemigos, y reprimió con dureza toda disidencia proveniente de la izquierda. Pero además, a pesar de la politización que se verificó en la sociedad a lo largo de 1917, sectores muy amplios de la misma fueron en alguna medida espectadores —y en muchos aspectos también víctimas— de una conmoción que produjo modificaciones profundas en la vida de todos los habitantes del antiguo imperio zarista.

En principio, es preciso distinguir entre lo que ocurrió en el mundo urbano y la situación del campesinado. El principal problema que se vivió en las ciudades fue el hambre. Los testimonios sobre esta cuestión abundan: ante la carencia de alimentos, quien podía marchaba al campo, por lo que la despoblación se transformó en un fenómeno generalizado; integrantes de todas las clases sociales huían hacia las zonas donde suponían que podían saciar su hambre. Petrogrado se convirtió en poco más que una «ciudad fantasma» en la que, por ejemplo, los caballos desaparecieron y en su lugar aparecían a los pocos días las llamadas «salchichas de la guerra civil». Los viajes a las zonas agrarias para buscar alimentos se transformaron en una manera de obtener ingresos adicionales para numerosos obreros y funcionarios, que incluso los intercambiaban por productos artesanales que ellos mismos fabricaban. El absentismo en las fábricas por este motivo se transformó en un problema para la producción industrial.

Pero el hambre, con ser un problema grave, no era todo: las condiciones sanitarias se deterioraron al extremo y el frío, agravado por la carencia de calefacción, hizo estragos. Con este nivel de privaciones, el proceso de igualación social, ya iniciado a partir del trabajo agresivo de los revolucionarios, culminó de manera natural: un estudio realizado en esos años indicó que más del 40 por ciento de la prostitutas de Moscú provenían de familias burguesas o de la nobleza, que se habían arruinado como consecuenca de la Revolución. Una de las aristócratas de más alta alcurnia, la condesa Mershcherskaya, terminó viviendo con su hija en una pequeña ciudad de provincias trabajando en la cocina de un molino de agua y durmiendo en la misma barraca que los obreros.

Ahora bien, el hambre de las ciudades era un problema de distribución y de intercambio, no de producción. El transporte por ferrocarril estaba en serias dificultades y no podía asegurarse una provisión normal con locomotoras desvencijadas y trenes repletos de gente que se movía huyendo del hambre o de la guerra. Pero la cuestión fundamental residía en que los campesinos, continuando con un comportamiento que ya se había manifestado durante la guerra iniciada en 1914, se negaban a vender sus productos a cambio de un papel moneda carente de valor. Hubo un retorno generalizado a la economía natural; como no consideraban conveniente comerciar reaparecieron las actividades artesanales en la aldea para sustituir los bienes que ahora no llegaban de las ciudades. Por tanto, a pesar de la ya citada disminución en la producción agraria, en el campo sobraba el grano y de lo que se trataba era de ocultarlo ante la presencia amenazadora de quienes se encargaban de requisarlo.

No obstante, había una cuestión que unificaba dramáticamente la situación de campesinos y ciudadanos residentes en las ciudades: las campañas de reclutamiento realizadas por el gobierno. Si tenemos en cuenta que a finales de 1920 el Ejército Rojo estaba compuesto por cinco millones de hombres, es evidente que la tarea del *Sovnarkom* se transformó en una amenaza real para todos los hombres en edad de combatir, que se sumó a la sangría producida por la guerra de 1914.

Esta situación tuvo serias consecuencias para la sociedad: en primer término, absorbió mano de obra y recursos para mantener a los soldados en condiciones de pelear; en segundo término, condujo a la deserción masiva, lo que a su vez dio lugar a la agudización de los enfrentamientos, en tanto el gobierno acudió a recursos excepcionales —tomaron como rehenes a familiares de los desertores, fusilaron a dirigentes de aldea— para forzar el retorno de los que escapaban, y por su parte los que desertaron en muchos casos terminaron formando grupos guerrilleros de resistencia.

Como síntesis, en un sentido amplio y con riesgo de incurrir en repeticiones, puede afirmarse que la combinación de la participación en la guerra mundial, las revoluciones de 1917 y la guerra civil constituyeron factores de enorme perturbación para el conjunto de la sociedad rusa; cada uno de ellos por separado hubiera producido consecuencias dramáticas, pero el hecho es que se trató de una sucesión de calamidades que se abatió de manera sucesiva sobre un colectivo en el cual la mayoría de sus integrantes vivían en la pobreza extrema o en situaciones fronterizas con la misma.

Dicho esto, creemos que es preciso insistir sobre la tremenda responsabilidad que le cupo a los bolcheviques: puede aceptarse que, en la medida en que su objetivo era una transformación revolucionaria de la sociedad, la modificación en la estructura social evidentemente afectaba la situación (y podríamos decir incluso la existencia) de las clases que hasta ese momento habían ejercido el dominio. De hecho, el proceso mismo acabó con las jerarquías tradicionales; la persecución puntual de los antiguos detentadores del poder quedó subsumida en una vorágine represiva de enormes consecuencias; la *Cheka* definía como «contrarrevolucionarios» a un abanico muy amplio de sectores sociales. Pero aún hubo mucho más que eso. El establecimiento de una dictadura de partido único y la puesta en práctica de una política económica que inevitablemente conducía a la pobreza y a la profundización de los enfrentamientos sociales —se argumenta en la actualidad con fundamento respecto de la existencia de una «gran guerra campesina» de la cual el período 1917-1921 fue el de mayor virulencia— produjo un incremento adicional del sufrimiento de una población ya castigada en extremo. La convicción, probada en numerosos artículos de Lenin, de que el «comunismo de guerra» era la ruta adecuada para el tránsito, se mostró funesta, obligando a su rectificación posterior.

Un tratamiento particular merece el tema de las mujeres durante la Revolución, tema muy poco tratado por los historiadores durante muchos años. Puede decirse, en principio, que la situación de las mujeres en el Imperio Ruso era muy variada en cuanto a religión, etnia, posición social y lugar de residencia, pero existía una rasgo común de máxima significación: ese rasgo era el patriarcado, un sistema de organización social que distribuía poder y estatus a través de hombres posicionados por edad y situación social. El patriarcado justificaba la autoridad del hombre proclamando que estaba dispuesto por Dios y por la Naturaleza. Por tanto, es posible detectar situaciones semejantes en las mujeres que se vieron enfrentadas al torbellino de la Revolución.

A la altura de 1917, sin embargo, es factible establecer diferencias entre la mujer campesina, que constituía la abrumadora mayoría, y aquellas que residían en las ciudades.

Las mujeres del campo eran en general pobres y seguían ordenando sus vidas a los ciclos climáticos y a las tradiciones que habían aprendido en la niñez. La situación sin duda estaba cambiando en el mundo agrario: jóvenes campesinos marchaban hacia las ciudades para trabajar en las fábricas y, a la inversa, médicos, maestros, ingenieros agrónomos y otros profesionales provenientes de las ciudades acudían a modernizar la Rusia rural. Sin embargo, para las mujeres la situación no se había modificado de manera sensible: su posición subordinada dentro de la familia y de la aldea se mantenía casi invariable. Algunas familias mandaban a sus hijas a la escuela elemental y un pequeño número, cuyos parientes no podían mantenerlas, tomaron el camino de la ciudad. Pese a estas excepciones, la mayor parte de las mujeres del campo vivían antes de la Revolución de manera similar a como transcurría la existencia de sus abuelas.

Por su parte, la situación de las mujeres que residían en la ciudad estaba cambiando a un ritmo bastante acelerado: las integrantes de la nobleza y de las clases medias estudiaban, se incorporaban al mercado laboral y participaban de las actividades políticas.

A partir del hecho de que la Revolución de Febrero comenzó con una huelga de obreras textiles que además conmemoraban el Día Internacional de la Mujer, la presencia femenina se manifestó en todos los terrenos. Hubo mujeres en los diferentes partidos políticos, se organizaron sindicatos y asociaciones políticas exclusivas de mujeres, campesinas participaron en la ocupación de tierras y en las asambleas donde la misma era repartida. Durante la guerra civil, el dos por ciento del Ejército Rojo pertenecían al sexo femenino; aunque en su mayoría realizaron trabajos administrativos o de enfermería, compartieron las penurias de la guerra con los soldados.

Garantizados los derechos civiles por el Gobierno Provisional, éstos fueron confirmados por el Consejo de Comisarios del Pueblo, aunque con ciertas modificaciones: por ejemplo, las mujeres de las antiguas clases privilegiadas se vieron privadas de la ciudadanía. Derecho al trabajo, igual paga que los hombres, jornada de trabajo de ocho horas, prohibición del trabajo nocturno, fueron algunos de los derechos que se reconocieron a las mujeres. En lo relativo a la legislación familiar, los avances fueron muy marcados: todas las restricciones que restringían la libertad de la mujer dentro del matrimonio fueron abolidas, otorgándole, por ejemplo, derecho a ser propietaria de tierras, a formar parte de la comuna con plenos derechos. También se igualó la situación de los esposos a todos los efectos, se legalizó el aborto y se abolieron las restricciones contra los hijos ilegítimos.

El estudio de las consecuencias de la Revolución para las mujeres obliga a insistir en las diferencias entre lo ocurrido en el campo y en la ciudad. En el ámbito rural, si bien las mujeres acompañaron a los hombres en las transformaciones que se verificaron en la estructura de la propiedad ocupando las tierras de la nobleza, percibieron mayoritariamente a la Revolución como un desafío a sus valores, a su seguridad. Esto es explicable tanto por su natural conservadurismo como por el hecho de que los bolcheviques eran quienes les requisaban las cosechas, por lo que a pesar de las concesiones el gobierno era considerado un enemigo.

Para las mujeres residentes en las ciudades la situación fue diferente: más allá de la legislación antidiscriminatoria, la existencia de un grupo de mujeres bolcheviques, encabezadas por Inessa Armand (amante de Lenin) y la conocida militante Alexandra Kollontai, condujo a la creación en 1919 de una Sección de Mujeres (*Zhenotdel*) dentro del Partido Comunista, para impulsar un amplio programa de emancipación de la mujer. De cualquier manera, con la importante excepción de un limitado número de marxistas feministas, la legislación que favoreció la igualdad entre el hombre y la mujer no se extendió al terreno de la política, que siguió siendo una cuestión fundamentalmente de hombres. En otros campos, el proceso de adaptación fue evidentemente lento y el período de la Revolución, con todo su vértigo, no parece haber alcanzado para modificar modos de vida tradicionales.

En resumen: todavía faltaba un tiempo para que se creara la imagen de la «nueva mujer soviética», un verdadero dechado de virtudes: firme, valiente, simpática, trabajadora, capaz de defender la Revolución en el terreno que sea necesario, en condiciones de sacrificarse si piensa que así contribuyó a la construcción de un mundo nuevo.

Para los bolcheviques, una revolución social implicaba asimismo una revolución en la cultura. En los años que nos ocupan, la historia de la revolución muestra un sorprendente dualismo en todo lo referente a este tema crucial. Por una parte, se produjo un estallido de libertad creativa; por otro, se fue realizando un control estricto de la producción cultural a los efectos de cumplir los objetivos de la Revolución.

En efecto: en un principio la revolución contó con amplios apoyos en el ámbito de la cultura. Para muchos de los creadores de la época —Rusia estaba viviendo una época de auge de las vanguardias— el triunfo de los bolcheviques representaba la ruptura con el «decadente» mundo burgués que despreciaban. En un escenario en el que la civilización occidental había sufrido una tremenda derrota en las trincheras de la Primera Guerra Mundial, los protagonistas de la Revolución de Octubre eran vistos como los emisarios de un mundo nuevo, y en tanto Lenin y sobre todo Trotski mostraban un significativo respeto por las manifestaciones de la «alta cultura», se explica que durante varios años el Partido Comunista mostrara tolerancia hacia la creatividad artística independiente.

Sin embargo, al mismo tiempo se iba desarrollando otro proceso bien diferente: dado que de acuerdo con la doctrina marxista la cultura estaba determinada (o por lo menos fuertemente condicionada) por la estructura económica, los cambios que la Revolución había producido en la economía debían tener su correlato en una transformación revolucionaria en el terreno cultural. Si se daba por indiscutible la afirmación de que «toda clase dominante crea su propia cultura», el proletariado en el poder no podía ser la excepción. En consecuencia, las realizaciones culturales debían ser objeto de direccionamiento por parte del Estado, a los efectos de impulsar las transformaciones que iban a contribuir a transformar la naturaleza humana[27].

El tema generaba más dudas que certezas, y esto ocurría incluso entre los mismos bolcheviques; los interrogantes eran importantes y las respuestas implicaban orientaciones definidas y la toma de decisiones significativas. Una de esas cuestiones se resumía en estas preguntas: ¿Debe la cultura de la clase obrera protagonista de la revolución ser purgada de toda influencia burguesa? ¿O se trata en cambio de preservar lo mejor de los logros de las generaciones precedentes?

---

[27] En una frase que se ha hecho célebre, Stalin definió a los intelectuales como «ingenieros de almas».

El debate sobre este tema se desplegó con vigor durante los primeros años de la Revolución. Los partidarios de una cultura específica de la clase obrera tuvieron su más caracterizado impulsor en la figura de Alexander Bogdanov, un conocido dirigente que se enfrentó con Lenin por cuestiones filosóficas una década antes de la Revolución, situación que lo apartó en su momento del Partido Bolchevique, pero que no afectó su incuestionable vocación revolucionaria. Sus ideas en materia cultural tuvieron ocasión de concretarse en noviembre de 1917, cuando por iniciativa del gobierno revolucionario se creó la «Asociación Cultural y Educacional del Proletariado Ruso», más conocida por el nombre de *Proletkult*. Su quehacer contó con el respaldo de su cuñado Anatoli Lunacharsky, designado comisario de la Ilustración (*Narkompros*), organismo que se encargó tanto de la educación como de las artes. En las palabras del mismo Bogdanov, el objetivo de la asociación era crear «laboratorios de cultura proletaria» que definieran e impulsaran los valores de la clase obrera. La definición de éstos se realizaba en cierto modo por oposición a los valores burgueses —colectivismo frente a individualismo, cooperación frente a competencia, materialismo frente a idealismo, democracia frente a autoritarismo—, y es importante destacar que algunos de ellos pasaron a formar parte de la ortodoxia cultural durante el período del estalinismo. Se creó una Universidad obrera y se editó una «Enciclopedia Socialista» como punto de partida para la edificación de la nueva civilización proletaria; en su época de apogeo llegó a contar con más de 400.000 miembros. El ideal de la construcción de un «hombre nuevo» guiaba su programa, que, en su versión más radical, debía prescindir de todo aporte cultural del pasado. Las acusaciones que se formulaban a *Proletkult* se centraban en su falta de efectividad, porque estaba conducido por representantes de la burguesía, gente sin vínculos con el ámbito obrero y sin ninguna vinculación con la creatividad proletaria.

Frente a esta posición se alzaba la defendida por Lenin, quien a lo largo de sus escritos otorgó diferentes significados a la palabra «cultura», pero que en principio establecía una distinción entre la cultura (en el sentido de «alta» cultura), que no pertenecía a ninguna clase, y la ideología, que en el proletariado la constituía el marxismo. Así como consideraba que la prensa debía estar en manos del Estado, y la libertad de prensa en un escenario caracterizado por el triunfo de la Revolución significaba fundamentalmente «liberar a la prensa del yugo del capital», en cambio consideraba que, por ejemplo, la literatura no tenía por qué atenerse a las normas del partido. En este punto coincidía en un sentido amplio con Trotski, mucho más interesado en estas cuestiones, quien afirmaba que la creación era «un dominio en el que el partido no tiene que mandar». Por tanto, en las mismas palabras de Lenin, «la cultura proletaria era el lógico desarrollo que el conocimiento humano ha acumulado a lo largo de la historia»; de lo que se trataba no era de destruir los valores artísticos y culturales del pasado, sino «destruir la ideología, las bases en las cuales esos valores se desarrollaron». Por tanto, su proyecto planteaba impulsar la educación de las masas como base para su adquisición de conocimientos de todo orden.

El enfrentamiento se manifestó en el curso de la guerra civil y tuvo su punto más alto en el Primer Congreso Ruso de *Proletkults*, celebrado en octubre de 1920. La idea de ampliar la presencia los éstos, hasta el punto de planear el establecimiento de una dependencia en el Congreso de la III Internacional, llevó a Lenin a la acción. Su idea, compartida por la mayor parte de los dirigentes comunistas, era la de ampliar el control político sobre todos los ámbitos de la sociedad. En efecto, al colocar en primer plano de la agenda el concepto de cultura proletaria, *Proletkult* tornó imposible ignorar las dimensiones culturales de la Revolución, y además dio lugar a que surgiera la posibilidad de construir la misma por fuera de la influencia del poder político. Por tanto, Lenin reaccionó haciendo uso de su poder, y pretextando que se estaban intentando destruir de manera rápida y violenta los tesoros y valores culturales existentes, procedió a recortar en gran medida la autonomía de *Proletkult* a finales de 1920. A pesar de esta decisión aplicada «desde arriba», aquélla continuó funcionando aunque de manera acotada durante algo más de una década.

Sin lugar a dudas, detrás de estas polémicas aparecía otro tema aún más importante, cual era el del proceso de construcción de una sociedad socialista, y en este terreno Lenin no estaba dispuesto a que todos los temas vinculados con la eliminación del «atraso de las masas» —desde la educación hasta las manifestaciones culturales en un sentido estricto— pudieran desarrollarse independientemente del control político. Sus aspiraciones se centraban en otorgar a los ciudadanos una cierta formación intelectual, brindándoles conocimientos tecnológicos y facilitándoles los elementos para que adoptaran una actitud «moderna» hacia los problemas de la existencia.

El Comisariado de la Ilustración fue encargado de la reforma de la educación, pero las privaciones producidas por la guerra civil determinaron que hasta su finalización los resultados fueran mediocres; el establecimiento de un sistema educativo unificado empezó a concretarse después de 1921.

Pero la tarea de educar no se reservó exclusivamente para las instituciones educativas formales: un papel fundamental fue desarrollado por medio de la propaganda. Partiendo de la base de que el analfabetismo y la falta de educación eran los principales obstáculos para la construcción del socialismo, desde el gobierno se organizó una impresionante campaña que servía tanto para alfabetizar como herramienta de adoctrinamiento. Se editaron textos de lectura que reducía la doctrina comunista a formulaciones elementales. Los campesinos y obreros aprendieron a leer deletreando oraciones como «La defensa de la Revolución es la tarea de las clases trabajadoras», o «Estamos construyendo un nuevo mundo sin amos ni esclavos». En 1918 se imprimieron nada menos que dieciocho millones de libros; habla por sí mismo el hecho de que el primer libro que publicaron fuera una biografía de Lenin...

Es un lugar común referirse a la importancia que los protagonistas de la Revolución rusa otorgaron a la propaganda, y esta orientación fue un rasgo de su actividad política incluso antes de los sucesos de octubre. La explicación en principio es simple: los bolcheviques eran revolucionarios y su tarea principal era la de incorporar seguidores, persuadiéndoles de la corrección de sus argumentos. En la medida en que como marxistas poseían una interpretación universalmente válida de la historia, que les permitía predecir e incluso influenciar sobre los acontecimientos, la tarea de enseñanza del marxismo por la vía de la propaganda era un arma fundamental de su actividad política.

Una vez en el poder, las características de la propaganda soviética fueron las siguientes: 1) como es lógico a partir de sus coordenadas ideológicas, se manifestaron partidarios de suprimir las interpretaciones conflictivas de la realidad política, lo que trajo como consecuencia, tal cual se ha dicho, que se eliminara la prensa libre; 2) el gobierno desplegó su política consciente de las implicaciones de la difusión de su mensaje y llevó a cabo una tarea de acercamiento a los campesinos y a los trabajadores, a través de grupos destinados a promover la agitación; 3) se utilizó la prensa, el cine y el teatro con objetivos políticos.

La expresión *agit-prop* se ha utilizado para designar a todas las actividades destinadas a impulsar las actividades de adoctrinamiento de las masas. Lenin mismo se encargó de establecer las diferencias entre «propaganda» y «agitación»: «los propagandistas operan sobre todo por medio de la palabra *escrita*; los agitadores por medio de la palabra *hablada*».

Una vez desaparecida la prensa opositora, el monopolio de la información escrita por parte de los bolcheviques no tuvo como consecuencia el surgimiento de una prensa en condiciones de actuar eficazmente en las tareas de propaganda. Las dificultades técnicas fueron enormes, empezando por la falta de papel y la obsolescencia de las maquinarias, pero además se carecía de periodistas aptos para escribir en un lenguaje adecuado para los destinatarios, campesinos y trabajadores con bajo nivel de instrucción. Por tanto, la función de la prensa como elemento propagandístico fue muy limitada. En un artículo publicado en noviembre de 1918, Lenin llamaba la atención sobre la necesidad de «escribir simple y concisamente para las masas», al tiempo que recomendaba una atención especial a las cuestiones económicas (aunque por supuesto no a los temas vinculados con el comunismo de guerra o las consecuencias de las requisas de granos): «más atención a la manera en que las masas de obreros y campesinos construyen algo nuevo en su trabajo cotidiano».

La tarea de agitación fue consecuencia sobre todo de la necesidad de los bolcheviques de llegar con su mensaje al ámbito agrario; esta necesidad se hacía sentir con más fuerza debido a la escasa presencia del partido en el mundo rural, claramente perceptible ya a lo largo de 1917. Una vez alcanzado el poder, a los efectos de dar a conocer su política agraria, el gobierno organizó una red de agitadores que debían explicar a los campesinos los alcances del decreto sobre la tierra, que les permitía ocupar las posesiones de la nobleza y luego cultivarlas en régimen de propiedad privada. Los encargados de la agitación fueron trabajadores afiliados al partido o, más frecuentemente, soldados desmovilizados que volvían a sus aldeas. Durante su primer año de existencia, el régimen soviético estuvo en condiciones de enviar al campo alrededor de 50.000 agitadores, en su mayoría de las clases bajas. Los mismos estaban escasamente preparados, tenía sólo un vago conocimiento del marxismo, e incluso de la estrategia bolchevique, pero aun así se encontraban en situación de clara ventaja respecto de sus compañeros de aldea.

A principios de 1918 se publicó un boletín de formación para los agitadores, que constituye un magnífico elemento para entender el pensamiento bolchevique acerca de la propaganda. Comenzaba recomendándoles que una vez llegados a la aldea debían reconocer y tomar contacto con las personas más influyentes del lugar, al tiempo que averiguaban cuán correctamente era conocida la política del gobierno. Después de este trabajo preparatorio, había que ganarse la confianza de los aldeanos y lograr convocar a una asamblea general, en la que con la ayuda de campesinos de confianza debían lograr decisiones favorables a las posturas bolcheviques, tratando de mantener un discreto segundo plano.

Durante la guerra civil se experimentaron continuamente nuevos métodos de adoctrinamiento: por ejemplo, una de las disposiciones, contenidas en un decreto de diciembre de 1918, obligaba a los campesinos alfabetizados a leer a sus compañeros las disposiciones del gobierno y otros materiales seleccionados. Probablemente el impacto de una actividad de este tipo debió ser muy escaso, y además en muchos lugares alejados casi de imposible cumplimiento o control, pero muestra la búsqueda de la manera de llegar a un receptor potencialmente hostil (o por lo menos indiferente) en una coyuntura atravesada por un conflicto armado en el que se jugaba el futuro de la Revolución.

El más citado método de agitación, creado para compensar la debilidad de las organizaciones revolucionarias en vastas regiones del país, fue el envío de trenes y automóviles con representantes de diferentes Comisariados, e incluso del Comité Central. Se combinaba así la actividad gubernamental con la propaganda. Los trenes estaban equipados con una pequeña biblioteca, una imprenta y en algunos casos con un proyector de cine. Dado que la gran mayoría de los campesinos nunca había visto una película, el poder de la imagen podía ser enorme.

Una de las innovaciones de los revolucionarios de octubre en el arte del adoctrinamiento fue la creación de organizaciones de masas, cuyo objetivo era el de conectar a los gobernantes con la población. En un cierto sentido, el partido era una organización de masas destinada al adoctrinamiento, de la misma manera que los sindicatos, una vez que pasaron a control de los bolcheviques. Pero las dos principales organizaciones de masas cuyas funciones exclusivas eran las de agitación fueron la Liga Comunista de Jóvenes *(Komsomol)* y la citada Sección de Mujeres *(Zhenotdel)*. En la época de la guerra civil ambas organizaciones estaban en fase de consolidación, pero desde un principio cumplieron la función de adaptar las consignas del gobierno de manera de acceder a audiencias particulares, como eran los jóvenes y las mujeres. Pero además, estas organizaciones cumplieron otra función: generaron un ámbito de actividad para miles de militantes, captando gente que en otras condiciones hubiera quedado fuera de la vida política.

La referencia al cinematógrafo hecha en este mismo apartado nos introduce en uno de los instrumentos propagandísticos más utilizados por los bolcheviques. En 1917 el cine era ya el más popular de los entretenimientos masivos en el Imperio Ruso, por lo que no sorprende que Lenin haya dicho que «para nosotros es la más importante de las artes». En una población mayoritariamente analfabeta, donde se hablaban más de cien idiomas diferentes, los bolcheviques necesitaban un medio en condiciones de llegar a todos, de ahí que lo visual era fundamental. El cine tenía la gran ventaja para apelar directamente a la audiencia, y no se necesitaba una experiencia cultural previa[28].

El cine ruso antes de la Revolución estaba en una situación muy débil; hasta 1914 las películas que se exhibían eran casi todas extranjeras (sobre todo francesas). Con el estallido de la guerra se produjo por una parte el incremento de la audiencia, ya que el cine constituía una válvula de escape, pero por otra se incrementaron los problemas emergentes de las dificultades para importar películas, maquinaria de exhibición e incluso celuloide.

La llegada de la Revolución trajo consigo un adicional debilitamiento de la industria, ya que los escasos empresarios del rubro disminuyeron su actividad (algunos marcharon hacia Crimea para seguir filmando allí). No había mucha gente que conociera el oficio, por lo que la nacionalización no era una solución a corto plazo, de ahí que durante más de un año y medio la actividad cinematográfica se realizó por medio de una combinación de actividad estatal y privada. A pesar de eso, la producción ya estaba orientada hacia la agitación: de 92 filmes que se realizaron entre los años 1918 y 1920, 63 eran *agitki*, cortos de propaganda del régimen que en muchas ocasiones fueron hechos por empresas privadas.

De cualquier manera, ya desde un principio se estaban dando pasos hacia la nacionalización —control por parte del Estado de un cinematógrafo por ciudad, inventario general de toda la maquinaria existente—, hasta que en agosto de 1919 Lenin firmó el decreto por el cual toda la industria del cine pasaba a manos estatales.

Como se ha comentado, el cine fue uno de los elementos fundamentales de los trenes que recorrieron gran parte del territorio en misión propa-

---

[28] El otro medio visual era el afiche.

gandística. Las películas que se produjeron y exhibieron eran de dos tipos: algunas brindaban información sobre métodos de cultivo o la forma de cuidar la salud, pero otras tenían precisos objetivos ideológicos. Títulos como «¡Trabajadores del Mundo, Uníos!», «Bandera Roja» o «En Pos de un Mundo Nuevo» permiten darse cuenta fácilmente de la orientación de estas películas y los propósitos de quienes impulsaban el desarrollo de la industria. Respecto de la difusión del cine, existe un dato conocido: hacia finales de 1920, el tren denominado *Revolución de Octubre* había realizado más de 430 exhibiciones, con una audiencia total de más de 620.000 espectadores.

En 1919, el Comisariado para la Ilustración publicó una serie de ensayos con el título general de *El Cinematógrafo,* en el que se analizaba su rol en la construcción de la sociedad soviética. La contribución de Lunacharsky en ese texto, denominada *Las Tareas del Cine Estatal,* incluía párrafos como el siguiente: «No se trata sólo de una cuestión de nacionalizar la producción y distribución de filmes y el control directo de las salas de exhibición. Se trata de crear un nuevo espíritu en esta rama del arte y de la educación. Debemos hacer lo que nadie antes estuvo dispuesto o esperaba hacer.»

Por tanto, en el momento de la finalización de la guerra civil, sin duda el cine soviético todavía se encontraba en fase de construcción, pero las grandes líneas de desarrollo ya estaban tendidas.

CONCLUSIONES

Una vez finalizado este recorrido por la Revolución Rusa, creemos que cabe retornar al comentario transcripto en la Introducción, ahora reformulado bajo la forma de pregunta y con una ligera variante: ¿fue la Revolución Rusa una idea que salió mal o una mala idea?

Para responderla apelaremos a varias cuestiones que permitan disponer de un panorama amplio de la situación.

— La Revolución de Febrero fue el resultado de la convergencia de amplios sectores de la sociedad, situados en diferentes niveles, que coincidieron en un punto decisivo: la necesidad de derrocar a Nicolás II. El acuerdo emergía: 1) del descontento frente a la conducción de la guerra, que no sólo se manifestaba en los campos de batalla sino en las deficiencias de abastecimiento en la retaguardia; 2) del rechazo que generaba el entorno del zar, específicamente su mujer alemana y Rasputín, a quienes incluso se acusaba de traición; 3) del descontento de los campesinos, que no sólo sufrían la sangría de mano de obra para el ejército sino también de la presión del gobierno destinada a obtener granos para alimentar a la población; 4) de una situación en la cual las potencias intervinientes en la guerra tuvieron una presencia importante, en la medida en que la posibilidad de que Rusia se retirara del campo de batalla modificaba de manera notable el tablero internacional y la posible definición del conflicto.

— El Gobierno Provisional se vio enfrentado a una situación de muy difícil manejo, dado que se trataba de afrontar múltiples demandas, algunas de las cuales eran incompatibles entre sí, pero demostró una escasa pericia en el ejercicio del poder. Puede conjeturarse, como se ha hecho, que la intransigencia de la derecha bloqueó toda alternativa reformista real, pero no cabe duda respecto de que su tardía capacidad de reacción —cuando la hubo— contribuyó a que se produjera un incremento de los descontentos, que no encontraban tampoco en la dirigencia del Soviet una respuesta adecuada.

— De esta manera, la evolución de los acontecimientos fue conduciendo de forma acelerada a un masivo desencanto de las masas urbanas y campesinas respecto del rumbo político, lo que se manifestó en el aumento de huelgas, en el reclamo de una paz inmediata y en el crecientemente hostil comportamiento de quienes demandaban tierras y recibían como respuesta la exigencia de mayor producción en condiciones desfavorables.

— En este escenario, la actuación de los bolcheviques estuvo guiada por la capacidad de Lenin para percibir las posibilidades que brindaba la situación política de acceder al poder levantando las banderas de los reclamos generalizados que el Gobierno Provisional no podía satisfacer. Se benefició así del apoyo de quienes tal vez no conocían el programa bolchevique pero sentían que sus planteamientos eran defendidos.

— La toma del poder por parte de los bolcheviques fue justificada por medio de un análisis en el que el nuevo desarrollo alcanzado por el capitalismo —el «imperialismo» o capitalismo monopolista—, que lo convirtió en el modo de producción dominante a nivel planetario, permitía plantear la lucha política en Rusia como parte de la revolución socialista mundial en marcha.

— La radicalización de la vida política en la segunda mitad de 1917 derivó en una falsa opción —Kornilov o los bolcheviques— que sin embargo fue asumida por sectores amplios de la sociedad —no sólo en la derecha política—, con lo que la derrota sufrida por el general dejó un vacío de poder que Kerensky estaba absolutamente incapacitado para cubrir.

— El genio táctico de Lenin residió en la percepción de que había que proceder a la toma inmediata del poder, para lo cual no hacía falta la acción directa de las masas, que por lo demás no eran mayoritariamente militantes bolcheviques.

— La posibilidad real de que se constituyera un gobierno de los soviets, con representación de los diferentes partidos de izquierda, posibilidad que también barajó un sector importante de la dirigencia bolchevique, fue frustrada por Lenin en el II Congreso de los Soviets, coincidencia que aseguró el poder en solitario para el partido en circunstancias que le colocaban enfrentado con el resto de las agrupaciones socialistas.

— A partir de ese momento se puso en marcha una dictadura de partido único, cuyo objetivo fue la remodelación de la sociedad soviética en nombre de un proyecto revolucionario cuyo objetivo final era conocido —una sociedad sin clases—, pero cuyos métodos no fueron en manera alguna discutidos.

— La Revolución de Octubre realizada en Petrogrado tuvo como consecuencia el desencadenamiento de otras revoluciones —de los campesinos por la tierra, de algunos grupos nacionalistas por la independencia de su país— que condujeron al surgimiento de un escenario de enorme complejidad.

— El curso de los acontecimientos después de octubre de 1917, condicionado por los alzamientos en contra de los bolcheviques, estuvo sin embargo marcado por la voluntad de éstos de consolidar su poder y llevar adelante su proyecto, que implicaba un rápido recorrido hacia la socialización de los medios de producción y hacia la construcción de un «hombre nuevo», acompañada una lucha contra toda oposición, aunque ésta proviniera de los supuestos beneficiarios de la nueva realidad generada por la Revolución.

— En consecuencia, la Revolución de Octubre se transformó en una más de las revoluciones en las cuales el protagonismo de las masas fue desplazado por la actuación de los «de arriba», que manejaron el timón con mano férrea.

— Cuando se conjuró el peligro de la contrarrevolución, la actitud adoptada por Lenin y los dirigentes del Partido Comunista cerró el ciclo revolucionario al abandonar el «comunismo de guerra», recomponiendo las relaciones con el campesinado, restaurando parcialmente las relaciones capitalistas de producción, acabando de manera drástica con la oposición y, lo que no es menos importante, completando la destrucción de las instituciones democráticas y limitando el ejercicio de la democracia incluso dentro de la dirigencia del Partido.

— El ejercicio dictatorial del poder político por parte del Partido Comunista trajo como consecuencia una serie interminable de penurias para el conjunto de la sociedad; no sólo las clases privilegiadas fueron víctimas de una revolución dispuesta a acabar con su dominio social y económico, sino que el campesinado fue objeto de una agresión desde el poder y el resto de la sociedad se vio afectada por un enorme deterioro de su nivel de vida.

En uno de los párrafos finales de su obra sobre la Revolución Rusa, León Trotski formula esta pregunta: «Las consecuencias de la revolución ¿justifican finalmente las víctimas que ha causado?» Después de algunas disquisiciones, la respuesta es la siguiente: «Los pueblos buscan en la revolución una salida a sus intolerables tormentos.»

Ante las dimensiones de lo ocurrido, parecería que los tormentos que acompañaron a la Revolución superaron, por lo menos a corto plazo, a los sufrimientos que los sectores postergados de la sociedad venían experi-

mentando. La tarea de ingeniería social que los bolcheviques se propusieron llevar a cabo tuvo por resultado un régimen opresivo en el que incluso los logros alcanzados lo fueron a un coste tan alto en términos humanos que se justifica su rechazo.

Sin embargo, existe un punto que es preciso destacar: la Revolución de Octubre puso en primer plano cuestiones relativas a la conciliación entre justicia, igualdad y libertad, que son todavía hoy relevantes, aunque las respuestas dadas por los bolcheviques fueran trágicamente equivocadas. Frente a la generalizada conformidad existente respecto de los principios de organización y funcionamiento de la sociedad capitalista, es preciso insistir que la misma muestra desigualdades de tal calibre que obliga a muchos a pensar en la posibilidad de su reordenamiento radical.

Y evidentemente, si transitamos el recorrido intelectual y político de tratar de contribuir a la creación de un mundo más justo, en varios tramos nos encontraremos con las ideas y aspiraciones de quienes hicieron la Revolución Rusa, aunque sin lugar a dudas nuestro objetivo se encuentra muy alejado de lo que ellos alcanzaron a construir.

CRONOLOGÍA

1894-1917   Reinado de Nicolás II.

1896   Mayo: La coronación oficial de Nicolás II culmina en una catástrofe.

1898   I Congreso del Partido Obrero Socialdemócrata Ruso, en Minsk.

1899   Febrero-marzo: Huelgas de los estudiantes universitarios en Rusia.

1899   Marzo: Lenin publica su primera obra importante, *El desarrollo del capitalismo en Rusia*.

1901   Febrero: Asesinato de N. Bogolepov, ministro de Educación.

1902   Marzo: Lenin publica *Qué hacer*.

1903   Julio-agosto: II Congreso del Partido Socialdemócrata, que se salda con el enfrentamiento entre bolcheviques y mencheviques.

1904   Enero: Se organiza la Unión para la Liberación en San Petersburgo.
Febrero: Los japoneses atacan Port Arthur, dando comienzo la guerra ruso-japonesa.
15 de julio: Asesinato del primer ministro V. Plehve.
Diciembre: Port Arthur se rinde a los japoneses.

1905   9 de enero: Domingo Rojo en San Petersburgo.
18 de enero: Bulyguin es nombrado ministro del Interior.
18 de febrero: Manifiesto de Bulyguin, prometiendo la convocatoria de una Duma.
Abril: III Congreso del Partido Socialdemócrata, realizado en Londres.
8 de mayo: Se constituye la Unión de Uniones, liderada por Miliukov.
14 de mayo: La flota naval rusa es destruida en Tsushima.
Junio: Motín del acorazado «Potemkin» en Odessa.
6 de agosto: Propuesta de Bulyguin.
25 de agosto: Tratado de Portsmouth que pone fin a la guerra ruso-japonesa.
Septiembre: Comienza una nueva serie de huelgas.
Octubre-noviembre: Witte es nombrado presidente del Consejo de Ministros, e inicia conversaciones con figuras públicas de la oposición para formar gabinete.
12-18 de octubre: Se funda el Partido Demócrata-Constitucional (Kadete).
13 de octubre: Se constituye el Soviet de San Petersburgo.
17 de octubre: Nicolás II firma el *Manifiesto de Octubre*.

Nota: Hasta el 1 de febrero de 1918 las fechas corresponden al calendario Juliano, que tiene un retraso de trece días respecto del calendario Gregoriano.

El acorazado Potemkin *en el puerto de Odessa. La tripulación del acorazado* Potemkin *protagonizó, el 26 de junio de 1905, una sublevación contra los malos tratos a los que los sometía la oficialidad del buque.*

Noviembre: Lenin retorna a Rusia.
21 de noviembre: Se organiza el Soviet de Moscú.
8 de diciembre: Levantamiento armado en Moscú, que es duramente reprimido.

1906   16 de abril: Witte renuncia como primer ministro, reemplazado por Ivan Goremykin.
26 de abril: Se hacen públicas las Nuevas Leyes Fundamentales del Imperio.
27 de abril: Se reúne la I Duma.
8 de julio: El zar disuelve la Duma. Stolypin es nombrado presidente del Consejo de Ministros.
10 de julio: *Manifiesto de Viborg* lanzado por el Partido Kadete llamando a la desobediencia civil en contra del zarismo.

1907   20 de febrero: Se constituye la II Duma.
Marzo: Stolypin anuncia su programa de reformas.
Abril: Se reúne en Londres el V Congreso del Partido Obrero Social-demócrata Ruso.
Junio: Asalto a un transporte de caudales en Tiflis por parte de un comando bolchevique.

2 de junio: La II Duma es disuelta; al día siguiente se sanciona una nueva ley electoral modificada para favorecer el éxito de las clases conservadoras.
7 de noviembre: Comienza sus sesiones la III Duma, que extiende su actuación hasta 1912.

1912   Enero: Separación definitiva entre bolcheviques y mencheviques después de la VI Conferencia del partido realizada en Praga.
Abril: Masacre de las minas de oro de Lena.
15 de noviembre: Comienza sus sesiones la IV Duma.

1914   28 de junio: Asesinato del archiduque Francisco Fernando en Sarajevo.

El zar Nicolás II asume el mando del ejército el 22 de agosto de 1915.

Julio: Nicolás II ordena la movilización total del ejército.
1 de agosto: Alemania declara la guerra a Rusia.
Agosto: Derrota de las tropas imperiales frente a los alemanes en Tannenberg y Lagos Masurianos.

1915   Abril: Comienza una ofensiva rusa en Polonia.
Junio: Se conforma el Comité de Industrias de Guerra.
Junio-julio: Se constituye el Bloque Progresista.
Julio: Comienza el retroceso ruso en Polonia; se evacua Varsovia.
19 de julio: El zar convoca una reunión de la Duma.
22 de agosto: Nicolás II asume el mando del ejército.
25 de agosto: El Bloque Progresista hace público su programa de *Nueve Puntos.*
3 de septiembre: Se prorroga el cierre de la Duma.
5-8 de septiembre: Conferencia de dirigentes socialistas en Zimmerwald (Suiza).

1916   Febrero: Comienzan nuevamente las sesiones de la Duma.
Abril: Nueva conferencia de dirigentes socialistas en Kienthal (Suiza).
1 de noviembre: Discurso de Miliukov en la Duma.
17 de diciembre: Felix Yusupov asesina a Rasputín.

1917   23-27 de febrero: Revolución de Febrero.
2 de marzo: Se establece el Gobierno Provisional en acuerdo con el Soviet de Petrogrado.
3 de marzo: Abdicación de Nicolás II.
3 de abril: Lenin llega a Petrogrado procedente de Suiza.
4 de abril: El líder bolchevique da a conocer las «Tesis de abril».
21 de abril: Primera manifestación de los bolcheviques en Moscú y Petrogrado.
4-5 de mayo: Se establece la primera coalición de gobierno, con la participación de mencheviques y socialistas revolucionarios.
Junio: I Congreso de los Soviets de Rusia.
10 de junio: Se aborta en el último momento una manifestación de los bolcheviques.
18 de junio: Comienzo de la ofensiva militar rusa, que fracasa a los pocos días.
3-5 de julio: Alzamiento bolchevique que es reprimido. Decreto de ilegalización del partido; Lenin se esconde en Finlandia.
11 de julio: Kerensky es nombrado primer ministro.
Agosto-septiembre: Lenin redacta «El Estado y la Revolución», que se publica al año siguiente.
3 de agosto: Trotski se incorpora a los bolcheviques.
28 de agosto-1 de septiembre: Intento de Kornilov, que es frustrado por manifestaciones masivas de las agrupaciones de izquierda.
1 de septiembre: Kerensky proclama la República.
14-18 de septiembre: Se reúne la Conferencia Democrática.
25 de septiembre: Los bolcheviques obtienen la mayoría en el Soviet de Petrogrado.
10 de octubre: Lenin logra una votación favorable dentro del Comité Central para impulsar un alzamiento.
25 de octubre: Insurrección y toma del poder por parte de los bolcheviques. Se reúne el II Congreso de Soviets de Rusia.
12-27 de noviembre: Elecciones a la Asamblea Constituyente, en la que triunfan los socialistas revolucionarios.

1918   5 de enero: Se reúne la Asamblea Constituyente, la que es clausurada al día siguiente.
28 de enero: La Rada proclama la independencia de Ucrania.
1 de febrero: Rusia adopta el calendario gregoriano.
Marzo: Instalación de tropas francesas e inglesas en territorio ruso.
3 de marzo: Firma del Tratado de Brest-Litovsk.
6 de marzo: VII Congreso del Partido Bolchevique, que pasa a llamarse Partido Comunista.
10 de marzo: Traslado de la sede del gobierno de Petrogrado a Moscú.

Tropas inglesas y francesas desfilan por Vladivostok en marzo de 1918.

19 de marzo: Los socialistas revolucionarios de izquierda se retiran del gobierno como consecuencia del Tratado de Brest-Litovsk.

22 de mayo: Rebelión de la Legión Checa. Comienzo de la guerra civil.

28 de junio: Implantación del «comunismo de guerra».

6 de julio: Asesinato del embajador de Alemania, conde Mirbach, seguido de un alzamiento socialista-revolucionario, que es reprimido.

16-17 de julio: Ejecución del zar Nicolás II y su familia.

30 de agosto: Atentado de Fanny Kaplan contra Lenin. Es fusilada sin juicio el 3 de septiembre.

5 de septiembre: Implantación del «terror rojo».

11 de noviembre: Rendición de Alemania; fin de la Primera Guerra Mundial.

1919   15 de enero: Asesinato de Rosa Luxemburgo y Karl Liebknecht en Berlín.

Nicolás II y su familia, asesinados el 16 y 17 de julio de 1918.

2 de marzo: Comienzo de las sesiones del Congreso inaugural de la III Internacional en Moscú, convocado por Lenin.

Abril a octubre: Ofensiva «blanca» de Kolchak y Denikin contra el Ejército Rojo.

1920   Enero: Derrota de los «blancos» en Siberia.

24 de abril: Comienzo de la guerra con Polonia.

20 de julio: Se inauguran en Moscú las sesiones del II Congreso de la III Internacional. Establecimiento de las «21 Condiciones» de ingreso en la organización.

Agosto: El Ejército Rojo penetra en Polonia y llega hasta Varsovia. Contraataque polaco que termina en desastre para los rusos.

12 de octubre: Tratado de Riga con Polonia.

Octubre-noviembre: Ofensiva victoriosa contra el ejército blanco de Wrangel.

1921   Enero-marzo: Levantamiento campesino en la región de Tambov.

2-17 de marzo: Alzamiento en la base naval de Kronstadt, que es reprimido con dureza.

8 de marzo: Comienzo de las sesiones del X Congreso del Partido Comunista. Se aprueba la puesta en marcha de la Nueva Política Económica y se prohíbe la existencia de facciones dentro del Partido Comunista.

22 de junio: III Congreso de la III Internacional.

BIBLIOGRAFÍA

ABRAHAM, R. (1987), *Alexander Kerensky: The First Love of the Revolution*. Nueva York, Columbia University Press.

ACTON, E. (1990), *Rethinking the Russian Revolution*. Londres-Nueva York, Arnold.

—V. U. CHERNIAEV, W. G. ROSENBERG (Eds.), *Critical Companion to the Russian Revolution. 1914-1921*. Bloomington e Indianápolis, Indiana University Press.

ADAMS, A. (Eds.) (1990), *The Russian Revolution and Bolshevik Victory*. 3.ª Edición. Lexington-Toronto, D. C. Heath and Company

ASCHER, A. (1988-1992), *The Revolution of 1905*. 2 vols. Stanford, Stanford University Press.

ATKINSON, D. (1983), *The End of the Russian Land Commune 1905-1930*. Stanford, Stanford University Press.

AVES, J. (1996), *Workers against Lenin: Labour protest and the Bolshevik dictatorship*. Londres-Nueva York, I. B. Taurish Publishers.

AVRICH, P. (1970), Kronstadt 1921. Londres y Nueva York, Princeton University Press.

BADAYEV, A. Y. (1987), *Bolsheviks in the Tsarist Duma*. Londres, Chicago y Melbourne, Bookmarks.

BECKER, S. (1985), *Nobility and Privilege in Late Imperial Russia*. Dekalb, Norhern Illinois University Press.

BENVENUTI, F. (1999), *Storia della Russia Contemporanea*. Roma-Bari, Laterza.

BERKMAN, A. (1986), *The Russian Tragedy*. Londres, Phoenix Press.

BONNELL, V. E. (1983), *Roots of Rebellion. Workers'Politics and Organizations in St.Petersburg and Moscow, 1900-1914*. Berkeley y Londres, University of California Press.

BONNELL, V. E. (Ed.) (1983), *The Russian Worker. Life and Labour under the Tsarist Regime*. Berkeley, California University Press.

BURDZHALOV, E. N. (1987), *Russia's Second Revolution. The February 1917 Uprising in Petrograd*. Bloomington-Indianapolis, Indiana University Press.

CARRÉRE D'ENCAUSSE, H. (1992), *The Great Challenge. Nationalities and the Bolshevik State*. Londres y Nueva York, Holmer & Meier.

—(1996), *Nicolas II. La transition interrompue*. París, Fayard.

—(1999), *Lenin*. Buenos Aires, Fondo de Cultura Económica

CAVA, M. J. (1995), *Rusia 1800-1914. El ocaso del zarismo*. Madrid, Eudema.

CHAMBERLIN, W. H. (1987), *The Russian Revolution*. 2 vols. Princeton, Princeton University Press.

CHUBAROV, A. (2001), *The Fragile Empire. A History of Imperial Russia*. Nueva York, Continuum.

CORNEY, F. C. (2004), *Telling October. Memory and the Making of the Bolshevik Revolution*. Ithaca y Londres, Cornell University Press.

DAN, T., *The Origins of Bolshevism*. Nueva York, Schocken Books.

DANIELS, R. V. (1967), *Red October. The Bolshevik Revolution of 1917*. Nueva York, Charles Scribner Sons.

DAVIES, R. W. (1998), *Soviet economic development from Lenin to Khrushchev*. Cambridge, Cambridge University Press.

DAVIES, R. W.; M. HARRISON y S. G. WHEATCROFT (1994), *The Economic Transformation ot the Soviet Union, 1913-1945*. Cambridge, Nueva York y Melbourne, Oxford University Press.

EMMONS, T. (Ed.) (1970), *Emancipation of the Russian Serfs*. Nueva York, Holt, Rinehart and Winston.

FERRO, M. (1994), *Nicolás II*. Madrid, Fondo de Cultura Económica.

—(1997), *La révolution de 1917*. París, Albin Michel.

FIGES, O. (2000), *La Revolución rusa. La tragedia de un pueblo*. Barcelona, Edhasa.

GATRELL, P. (1986), *The Tsarist Economy, 1850-1917*. Nueva York, St Martin's Press.

—(1994), *Government, industry and rearmament in Russia, 1900-1914. The last argument of tsarism*. Cambridge, Nueva York y Melbourne, Cambridge University Press.

GEIFMAN, A. (1993), *Thou Shalt Kill. Revolutionary Terrorism in Russia, 1894-1917*. Princeton, Princeton University Press.

—(Ed.) (1999), *Russia under the Last Tsar. Opposition and Subversión 1894-1917*. Malden (Mass.), Blackwell.

GILL, G. J. (1979), *Peasants & Government in the Russian Revolution*. Londres y Basingstoke, The MacMillan Press Ltd.

GLEASON, A.; P. KENEZ; R. STITES (Eds.), *Bolshevik Culture. Experiment and Order in the Russian Revolution*. Bloomington e Indianapolis, Indiana University Press.

GRAZIOSI, A. (1996), *The Great Soviet Peasant War. Bolsheviks and Peasants, 1917-1933*. Cambridge (Mass.), Harvard University.

GREGORY, P. R. y STUART, R. C. (1990), *Soviet Economic Structure and Performance*. Nueva York, Harper Collins Publishers.

HASEGAWA, T. (1981), *The February Revolution: Petrograd, 1917*. Seattle y Londres, University of Washington Press.

HOSKING, G. (1992), *A History of the Soviet Union 1917-1991*. Londres, Fontana.

—(1997), *Russia. People and Empire 1552-1917*. Londres, Fontana Press.

HUTCHINSON, J. F. (1999), *Late Imperial Russia, 1890-1917*. Londres y Nueva York, Longman.

KAISER, D. (Ed.), *The Workers' revolution in Russia 1917. The view from Below*. Cambridge y Nueva York, Cambridge University Press.

KEEP, J. L. H. (1976). *The Russian Revolution. A Study of Mass Mobilization*. Nueva York, W. W. Norton & Company.

KENEZ, P. (1985), *The birth of the propaganda state. Soviet methods of mass mobilization*. Cambridge, Nueva York y Londres, Cambridge University Press.

KINGSTON-MANN, E. (1983), *Lenin and the Problem of Marxist Peasant Revolution*. Nueva York y Oxford, Oxford University Press.

KOLONITSKII, B. *Interpretar la Revolución Rusa. El lenguaje y los símbolos de 1917*. Madrid, Biblioteca Nueva/Universidad de Valencia.

KOWALSKI, R. (1997), *The Russian Revolution. 1917-1921*. Londres y Nueva York, Routledge.

LIEVEN, D. (1993), *Nicholas II. Twilight of the Empire*. Nueva York, St. Martin's Griffin.

LIH, L. T. (1990), *Bread and Authority in Russia, 1914-1921*. Berkeley, University of California Press.

LINCOLN, W. B. (1983), *In War's Dark Shadow. The Russians Before the Great War*. Nueva York y Oxford, Oxford University Press.

—(1986) *Passage through Armageddon. The Russians in War& Revolution 1914-1918*. Nueva York, Simon and Schuster.

—(1999), *Red Victory. A History of the Russian Civil War. 1918-1921*. Nueva York, Docapo Press.

MAKHNO, N. (1996), *The Struggle Against the State and Other Essays*. San Francisco y Edinburgo, AK Press.

MCCAULEY, M. (1984), *Octobrists to Bolsheviks. Imperial Russia 1905-1917*. Londres, Arnold.

MCNEAL, R. H. (Ed.) (1976), *Russia in Transition 1905-1914. Evolution or*

Revolution? Nueva York, Robert Krieger Publishing Company.

MILIUKOV, P. (1967), *Political Memoirs 1905-1917*. Ann Arbor, Michigan University Press.

MOSSE, W. E. (1996), *An Economic History of Russia 1856-1914*. Londres-Nueva York, Tauris.

MOYNAHAN, B. (1994), *The Russian Century. A History of the Last Hundred Years*. Londres, Pimlico.

NOVIKOVA, O. (Sel.) (1997), *Rusia y Occidente*. Madrid, Tecnos.

OFFORD, D. (1999), *Nineteenth-Century Russia: Opposition to Autocracy*. Londres, Longman.

PEARSON, R. (1977), *The Russian Moderates and the Crisis of Tsarism*. Londres y Basingstoke, The Macmillan Press.

PETHYBRIDGE, R. (1967) (ED.), *Witnesses to the Russian Revolution*. Nueva York, Citadel Press.

PIPES, R. (1995), *Russia under the Old Regime*. Londres, Penguin.

—(1995b), *A Concise History of the Russian Revolution*. Nueva York, Vintage.

—(1995c), *Russia under the Bolshevik Regime*. Nueva York, Vintage.

—(1997), *The Formation of the Soviet Union*. Cambridge-Londres, Harvard University Press.

POBEDONOSTSEV, K. P. (1968). *Reflections of a Russian Statesman*. Ann Arbor Paperbacks/The University Michigan Press.

RABINOWITCH, A. (1968), *Prelude to Revolution: the Petrograd Bolsheviks and de July 17 Uprising*. Bloomington, Indiana University Press.

—(1976), *The Bolsheviks Come to power: The Revolution of 1917 in Petrograd*. Nueva York, W. Norton.

READ, C. (1996), *Form Tsar to Soviets. The Russian people and their revolution, 1917-1921*. Nueva York, University Press.

ROGGER, H. (1992), *La Russia pre-rivoluzionaria, 1881-1917*. Bologna, il Mulino.

ROGOVIN FRANKEL, E., J. FRANKEL y B. KNEI-PAZ (Eds.) (1992), *Revolution in Russia. Reassessments of 1917*. Cambridge, Nueva York.

ROSENBERG, W. G. (1974), *Liberals in the Russian Revolution. The Constitutional Democratic Party, 1917-1921*. Princeton, Princeton University Press.

SCHAPIRO, L. (1984), *The Russian Revolutions of 1917. The Origins of Modern Communism*. Nueva York, Basic Books Publishers.

SCHWARZ, S. M. (1969), *The Russian Revolution of 1905*. Chicago y Londres, Chicago University Press.

SERGE, V. (1972), *El año I de la Revolución Rusa*. Madrid, Siglo XXI.

—(1999), *From Lenin to Stalin*. Nueva York, Pathfinder.

SERVICE, R. (1999), *The Russian Revolution, 1900-1927*. Nueva York, St. Martin's Press.

—(2001), *Lenin. Una biografía*. Buenos Aires, Siglo XXI.

SHANIN, T. (1983), *La clase incómoda*. Madrid, Alianza Universidad.

—(1985-1986), *The Roots of Otherness: Russia's Turn of Century*. 2 vols. New Haven y Londres, Yale University Press.

SHUKMAN, H. (Ed.) (1994), *The Blackwell Encyclopedia of the Russian Revolution*. Oxford, Blackwell.

SHULGIN, V. V. (1984), *The Years. Memoirs of a Member of the Russian Duma, 1906-1917*. Nueva York, Hippocrene Books.

SIEGELBAUM, L. (1983), *The Political of Industrial Mobilization in Russia, 1914-1917: A Study of the War-Industry Commitees*. Londres, McMillan.

SMITH, S. A. (1983), Red Petrograd. *Revolution in the Factories 1917-1918*. Cambridge (G.B.), Cambridge University Press.

STITES, R. (1989), *Revolutionary Dreams. Utopian Vision and Experimental Life in the Russian Revolution*. Londres y Nueva York, Oxford University Press.

SUKHANOV, N. N. (1962), *The Russian Revolution 1917*. 2 vols. Nueva York, Harper and Brothers.

SUNY, R. G. (1993), *The Revenge of the Past. Nationalism, Revolution and the Collapse of the Soviet Unión*. Stanford, Stanford University Press.

—(1998), *The Soviet Experiment. Russia, the USSR and the Successor States*. Nueva York y Oxford, Oxford University Press.

TROTSKI, L. (1985), *Historia de la revolución rusa*. 2 vols. Madrid, Sarpe.

VOLIN, L. (1970), *A Century of Russian Agriculture. From Alexander II to Khruschev*. Cambridge (Mass.), Harverd University Press.

WADE, R. A. (2000), *The Russian Revolution, 1917*. Cambridge y Nueva York, Cambridge University Press.

WALDRON, P. (1997), *The End of Imperial Russia, 1855-1917*. Nueva York, St. Martin's Press.

—(1998), *Between two Revolutions. Stolypin and the Politics of Renewal in Russia*. DeKalb, Northern Illinois University Press.

WOLFE, B. D. (1970), *An Ideology in Power. Reflections on the Russian Revolution*. Nueva York, Stein and Day.

WOOD, A. (2003), *The Origins of the Russian Revolution 1861-1917*. Third Edition. Londres y Nueva York, Routledge.